戦後民主主義に僕から一票

内田 樹

SB新書
562

まえがき

みなさん、こんにちは。内田樹です。

本書をお手に取ってくださって、ありがとうございます。お時間があれば、「まえがき」だけでも立ち読みしていってください。お手間はとらせません。

本書は民主主義、憲法、教育などについて、これまでブログに書いたり、いろいろな媒体に寄稿したもののコンピレーションです。既出の記事からの選択はＳＢクリエイティブの山下美樹子さんがしてくれました。いくつかは僕がＨＤのアーカイブの奥の方から探し出して、埃を払って「二度目のおつとめ」をしてもらいました。

どれも「原形をとどめぬまでに」加筆・訂正をしておりますので、「何となく前に読んだような気がする……」ということはあるでしょうけれども、基本的にはこの本に収録されている文章は「オリジナル」です。ただし、文中で「今」とあるのは、この「まえがき」を書いている２０２１年８月ではなくて、その文章を最初に書いた過去のある時点のことです。それがいつであるかは、一つ一つの文章の終わりに「初出日」として記してありますので、それを見て脳内で時計の針をそのつど調整して読んでください。

つまり、本書は「過去に書いたもの」をその大筋の理路は変えないままに、今読んでもリーダブルであるように「書き換えた」ものです。

でも、「書き換えた」というのを見て、「公文書偽造」とか「歴史修正」とかいうような禍々《まがまが》しいイメージは持たないでくださいね。

「書き換えた」というよりも「読みやすく」したんです。

僕の場合の「読みやすさ」の基準は「音読に堪える」ということです。とにかく「音としてすらすら」と読めるということが必須条件なんです。というのは、僕の話って、すごく「わかりにくい」からです。

変な話だから。

この本も、「そんな話、聞いたことないよ」というような話ばかりです。だから、読者のみなさんがそれを読んで「ああ、そういうことね。わかるわかる。実はオレも前からそう思っていたんだよ」と膝を打つということはまずありません。

でも、僕以外に「そんなこと」を言う人がほとんどいないような話だからこそ僕は必死になってこうして文章を書いているわけです。他に同じようなことを言っている人がたくさんいるなら、別に必死になって僕が文字を書き連ねる必要はありませんから。

だから、僕が書くものは、誰も言わない「変な話」になる。いや、表面的にはよくある話なんです。「憲法をたいせつに」でも「民主主義はまともな制度である」というも、同じことを言っている人は何千万人もいます。でも、「どうして憲法をたいせつにしないといけないのか」「どうすれば民主主義はまともに機能するのか」ということの説明については、僕と同じような説明を採用する人はほとんどおりません。

どうしてそんな「変な話」をするかというと、それは「憲法なんか現実に合わせて変えればいいじゃないか」とか「民主主義って非効率だから独裁の方がいい」というふうに考えている人たちの袖をちょっと引っ張って、「いや、そうでもないですよ」と説得しているからなんです。「憲法って、現実を形成する手引きであって、現実に追随させるものじゃないんです」とか「民主主義というのは非効率であるところが取り柄なんです」というふうな「ちゃぶ台返し」的な説明をする。

だから、主張していることは「よくある話」なんですけれど、「なぜかというと」から後は「変な話」になる。それが僕の書きものの特徴です。それが僕のオリジナリティーで、だから、こうやってこりこり書いているわけです。

変な話だから分かりにくい。当然。それを無理やり呑み込んでもらう。呑み込みにくいものを嚥下《えんげ》してもらうためには何かでソフトコーティングする必要がある。昔はこういう時には「オブラートで包む」という比喩的表現がありました。若い人は「オブラート」なんて見たことないですよね。オブラートというのはでんぷんで作った薄い紙で、苦い粉薬を子どもに呑ませるために、それで包んで口中に投じたのです。

僕の場合の「音読に堪える」ように文章を推敲《すいこう》するというのが「オブラート」に相当します。何を言っているのか、意味はよく分からないけれど、なんか勢いがいいので、気がついたら、つい最後まで読んでしまっていた……というのが僕の目指しているところです。

「まえがき」はこれくらいにしておきます。また「あとがき」でお会いしましょう。

戦後民主主義に僕から一票

Contents

第2章　政治　道徳的「インテグリティ」の欠如

第3章　憲法　制定過程の主体は誰か？

第4章　教育　貧して鈍して劣化する

第1章

民主主義

日本社会の「株式会社化」

民主主義の時代

民主主義を適切に運用するノウハウをもたない市民

ある「育児雑誌」でインタビューを受けた。その時に思いついて日本の民主主義はとても短命なものだった（過去形なのが悲しい）という話をした。

終戦を境に戦前の軍国教育は全否定され、日本はいきなり民主国家になった。つい昨日までの治安維持法があり、特高（特別高等警察）や憲兵隊がいた時代に比べたら夢のように自由な社会が出現した。家庭もそれに準じて、戦前までとは違う、まったく新しいものにならなければならない。そう人々は思った。ほんとうにそう思ったのだ。

でも、彼ら自身は、親たちも教師たちも「民主主義」なんて知らなかった。戦前の家庭も学校も職場もどこにも民主主義なんかなかったからである。自分が経験したことがない理念をいまここで実践しなければならない。そういう歴史的急務に親たち、教師たちは直面していた。そして、私が知る限り、彼らはかなり誠実にその「責務」を果たそうとしていたと思う。ある時期までは。

大人たちが「日本社会は民主主義的に組織されなければならない」と本気で思っていたのは1945年から1970年くらいまでの四半世紀のことだと私は思っている。それ以前に日本に民主主義はまだ根づいていなかったし、それ以後はゆっくり枯死していった。だから、いまの50歳未満の人たち（1970年以降に生まれ育った人たち）は言葉の厳密な意味での「民主主義」を経験したことがないと思う。だから私の経験談を聴いたら、ずいぶん驚くと思う。

内田家はかなり民主的な家庭だった。週一回毎週水曜の夕食後に「家族会議」が開かれていた。父が議長、母が書記で、兄と私が二人きりの議員だった。家族会議では休みの日にどこへ行くとか、犬の散歩は誰がするとかいうことを合議で決めていた（別に会議を開いて決めなくてはいけない事案ではなかったが、「家族会議」をやろうと言い出した父も、それくらいしか議題を思いつかなかったのである）。

小学校六年生の時、私は児童会の議長をしていた。ある時、生徒たちの意見が集約できず、顧問の先生を振り返って「先生、どうしたらいいでしょう？」と泣きついたことがあった。すると、「自分たちで決めろ。そのための児童会だろう」と一喝されたことを覚えている。そういう時代だったのだ。子どもたちが苦労して民主主義を学習しているのに教師が横から邪魔をしてはいけない、と。教師たちはほんとうにそう思っていたのである。

民主主義的な合意形成のためにはそれなりの技術が必要だ。私らの世代はその技術を児童会や生徒会で教え込まれた。民主的な審議とはどういうものか？　対立する議論はどうやって集約するのか？　合意形成のためには何が必要なのか？　そういうことは子どもの時から経験を積まないとなかなか身につかない。果たしてそれが身についていたのかどうかはわからないが、民主主義的な議論が「議事法」に従って行わなければならないというくらいのことは身についた。

いまの日本は法理的には民主主義社会だが、市民たちは民主主義を適切に運用するノウハウをもう有していない。今の日本の家庭は民主的でもないし、家父長制でもない。まことに中途半端なものになってしまった。

戦前の家父長制下では、家長は黙ってそこにいるだけで、その役割を果たすことができた。たとえ中身がかなり空疎であっても、黙ってそこにいて定型的に家父長的なことを言っていれば、それなりの威厳があった。

ところが、民主的な家庭ではもう家長の威信という制度的な支えがない。父親は正味の人間的な力によって家族を取りまとめ、その敬意を集めなければならないという話になった。でも、手持ちの人間的実力だけで家族の敬意を集めることができるような父親など実はほとんど存在しない。家父長制のプロテクターを剥ぎ取られて、剥き出しになった日本の父親はあまりに幼児的で、あまりに非力だった。

同じことは学校でも起きた。子どもたちが仰ぎ見ていた教師たちの「正味の人間的実力」を測ったら、人の上に立つほどの実力がないということが暴露されてしまった。それが60年代末からの全国学園紛争の歴史的な意味の一つだったと思う。学生たちから「あなたたちは教壇で偉そうに説教を垂れ、われわれを査定しているけれど、正味の個人としてどれほどの人間なのか？」と挑発されたら、大学教師の多くが腰砕けになってしまった。

気がついたら「株式会社みたいな組織」の社会へ

家庭と学校を徹底的に民主化しようとした四半世紀の努力の果てに、私たちは民主主義を徹底させたら民主主義的な組織はもたないということを明らかにしてしまった。戦後民主主義の虚妄を暴露したのは、戦後民主主義の申し子であった私たちの世代である。もちろん、その時はそんな重大なことをしているという自覚はなかった。

私たちが要求したのは、制度的な権力によって護られている「大人たち」を平場に引きずりおろして、われわれと真剣勝負をさせることだった。私たちが求めたのは、「実力主義」であり、「成果主義」であり、制度や組織の力を借りずに、独力で欲望を実現できる一種のアナーキーだった。60年代末から70年代はじめにかけて「遠くまでゆく」とか「ひとりきりで」とかいう言葉に政治少年たちは偏愛を示したけれど、要するに私たちの世代は私たちを柔らかく保護していた「民主主義という殻」を「邪魔くせえよ」と言って引き剥がし、「荒野に手に何ものも持たずに立つ」というようなタイプの生き方を「政治的に正しい（し、審美的にもかっこいい）」と思っていたのだ。

そういう「お気楽」なことを発想できたことそれ自体が戦後民主主義からの気前の良い

贈り物だったということを当時の私たちは全然わかっていなかった。とにかくそういうふうにして、民主主義の絶頂期において、その恩沢を最も豊かに享受していた世代集団によって民主主義は手ひどい扱いを受けて、その尊厳を大きく損なってしまった。

そうやって戦後民主主義が崩れ始めて、日本社会を統合する組織原理が見失われ始めた頃に、もう一度社会を結束し直す「統制力」が思いがけないところから登場した。

それが日本社会全体の「株式会社化」である。

私が生まれた１９５０年、日本の農業従事者は人口の49%だった。だから、どこでも組織運営は基本的には村落共同体をモデルに行われていた。長い時間をかけてゆっくり満場一致に至るまで議論を練り、一度決めたことには全員が従い、全員が責任を負う。

でも、産業構造が変わった。農業従事者の数は減り続けた。株式会社では、ＣＥＯに全権を委ね、その経営判断が上意下達される。経営者のアジェンダに同意する人間が重用され、反対する人間は排除される。当たり前のことだ。経営判断の適否を判断するのは従業員ではなく、マーケットである。従業員が全員反対するような経営方針であっても、経営者が「これでゆく」と決定したら、それに従うしかない。その結果、商品が売れ、売り上げが伸び、株価が上がるなら、経営者は正しかったことになる。正しいのは社内合意の有無ではなく、市場の判定である。これはまったく民主主義とは違う考え方である。「マーケットは間違えない」という新しいルールを人々が内面化するにつれて、時間をかけて合意形成を図るという手続きは時代遅れのものになっていった。

株式会社は原理的に非民主的な組織である。金儲けのために存在する組織なのだから、別に「政治的に正しい」組織でなければならない義理はない。でも、気がついたら「株式会社みたいな組織」が社会のマジョリティを占めるようになった。「政治的に正しい」ことが必要な組織までが株式会社のように編成されるようになった。

私たちは、自分が知っている組織に基づいて「社会はどうあるべきか」を考える。自分の勤めている会社において「ふつう」なことは、全社会的にも「ふつう」なのだろうと推論する。だから、株式会社が支配的な企業形態になった時代では、私たちはあらゆる組織は「株式会社みたいなもの」であるはずだし、そうでなければならないと信じ込むようになった。

ある時期から民主主義が急速に衰微するようになったのはそのせいである。今の日本では、家庭も学校も企業も、民主的な合意形成に基づいて運営されている組織ではない。子どもたちが知っている世界は、家庭も、学校も、部活も、塾も、バイト先も、どれも

「じっくり時間をかけて合意形成を行う」ようなことをしない。「黙ってオレに従え。文句があるなら出ていけ」というのが、そういう場所での「最後の一言」である。

気の毒だと思う。ある年齢から下の日本人たちは「民主主義的な組織」がどういうものか、どういうものとして理想化されていたのかを知らないのだから。民主主義的組織を経験したことのない人たちが有権者なのであるから、国が民主主義的でないのは不思議ではない。

民主主義は失敗しても被害が少ない

しかし、近代になって、多くの国が民主制を採用したのには、それなりに現実的な理由があってのことである。それは民主制の方が独裁制（帝政や王政や貴族政や寡頭《かとう》政）よりも「生き延びるチャンスが多い」ということを歴史が証明したからである。

たしかに独裁制で「賢い独裁者」が次々と適切な政策を発令していると、民主制に比べてはるかに機能的に見える。けれども、独裁制の欠点は、いったん失敗した時に復元力がないことである。

独裁制では、国民たちはどの政策が適切で、どの政策がダメなのかを自己責任で考える仕事を免ぜられる。免ぜられるというか、そうする権利がない。難しいことはすべて「賢い独裁者」の専管事項であり、国民は国政のことなんか気にしないで、日々の生計のことだけ考えていればいい。たしかに、そういう生活は国民にとってずいぶん気楽かも知れない。しかし、どれほど「賢い独裁者」といえども、ノーミスでその政治生活を終えることはできない。いつかは必ず失敗する。

その時に、独裁国の国民は国を立て直すことが「自分の責任」だとは思わない。なにしろ、政策決定に際して意見を聞かれたことがないのだから。自分の知らないうちに決められた政策が、自分の知らないうちに失敗したのである。「どうしましょう?」と訊かれても「知るかよ」としか答えようがない。「何とかしてください」と頼まれても「知るかよ」としか答えようがない。「決定を下す人がリスクを取る」というのはあらゆる集団の基本ルールである。リスクを取らない人間は決定を下せないし、決定に参加していない人間にはリスクを取る義理がない。

独裁制の第一の、最大の弱点は、政策に大失敗した国難に際して、「身銭を切っても国を再建することがおのれの責務だ」と思う人間の頭数が非常に少ないことである。「身銭を切ってでも」と思うのは、この失敗には自分にも責任があると思う人間だけである。この失敗には自分にも責任があると思うのは、政策決定に参加したという意識を持つ人間だけである。国の復元力はこのようなタイプの人間をどれだけ確保できるかにかかっている。独裁制の弱さはその点にある。

独裁者は自己評価が高い。これは当たり前である。危機を生き延び、政敵をなぎ倒して、国民的支持を取り付けたからこそ独裁者になれたのである。自己評価が高くなって当然である。だから、自分の下した判断や決定について、下の人間から「ちょっとそれどうですかね」とか「それはよした方がいいです」とか言われると、むかっとする。自分より能力の低い人間が何をぬかすかと思う。これは必ずそうなる。どれほど自制心が強くても、自己評価が並外れて高い人間は「自分に向かって意見する人間」に対する憎しみを抑制し切ることはできない。そして、それとは逆に、自分におべんちゃらを言ってすり寄ってくる人間を「客観的に人を評価できる人間」だと見なしてしまうことも避けがたい。「こいつ、お世辞をつかっているな」と思っても、そのお世辞（「あなたさまは天才です。英雄です。国父です」などなど）が独裁者自身から見て「客観的事実」である以上、それを非とするには当らない。こいつは、真実を語る時にいささか修辞的にくどい、くらいにしか思わない。

だから、気がつけば独裁者の周りには、諫言《かんげん》・直言する人間が一人もいなくなり、阿諛《あゆ》追従《ついしょう》する人間だけがダマになる。これがすべての独裁者の陥るピットフォールである。だから、賢い独裁者が死んでしまうと、次の独裁者は指導層を形成する「おべんちゃらがうまくて、直言の士を排除することについてだけは手際のよい人間」たちの中から選ばれることになる。そんな国が破局的な事態を迎えるのは時間の問題である。

民主制のアドバンテージは「失敗した時にそれほど被害が大きくならない」「無能な人間が巨大な権力を持ち続けるリスクが少ない」という点にある。民主制の「ここがすばらしい」というところはあまりない。「あまりひどいことにならない」というのが民主制の手柄なのである。

挙国的な協力体制を形成すべきは、国政が誤った時

今の日本には、国も自治体も医療機関や学校までも「株式会社のように再編されるべきだ」と主張する人たちがいる。この人たちは根本的な勘違いをしている。というのは、株

式会社の目標は「金を儲けること」であって、「生き延びること」ではないからである。株式会社は短期間に巨額の金を儲けることを理想とする組織である。長期にわたって生き延びることは企業目的に含まれない。起業家たちが目指すのは、会社を興したあと、すぐに大手に買収されて、巨額の創業者利益を手にすることである。「起業した翌日にすぐに買い手がついて、会社を売りました」というのが起業家の理想なのである。これから１００年、２００年後まで生き延びて、「老舗の暖簾《のれん》」を守り抜くなどということは、起業家は別に目指していない。Apple や Google や Amazon が20年後も存在するかどうかは誰にもわからない。誰にもわからないし、20年後に消えていても、それを「失敗」だと評価する人間はいない。短期間に儲けるだけ儲けたのだから「大成功」なのである。

しかし、国の場合はそうはいかない。人間の集団の存在理由は「石にすがりついても生き延びること」だからである。クロード・レヴィ＝ストロースはかつて親族の存在理由について「親族が存在するのは親族を存続させるためである」という卓見を述べた。これは血縁共同体だけではなく、国についても、自治体についても、地域社会についても言える。「国や自治体や地域社会が存在するのは、それを存続させるためである」。別に短期的に金儲けをして、かき消えるためではない。民主制が統治形態として推奨されるのは、

「存続する」という最終目的については他の政体よりも大きなアドバンテージがあるからである。

ある国が外交や内政において手ひどい失敗をするということはよくある。失政によって、国土を失い、国富を失い、場合によっては主権を失うことだってある。国政が大きく誤った時こそ、国民がその失政に責任を感じ、挙国的な協力体制を形成しなければならない。そうしないと国の衰微は止まらない。

戦況がいい時は、先陣争いをして勢いに乗じてがんがんいけば無計画でもなんとかなるが、後退戦は全員で計画的に戦わなければならない。できるだけ多くの人が失政に部分的なりといえども責任を感じて、自分が後退戦の主体でなければならないと感じるためには、それに先立って、できるだけ多くの人が自分は国策の形成に関与していると信じる必要がある。

民主主義は国が好調である時には非効率的なものに見えるが、国難的危機の時には強い復元力を持つ。民主制は他の政体に比べて集団として生き延びる上で利が多い。私が民主制を支持する理由はそれだけである。

おそらくいまの若い人たちの多くは民主主義というものを単なる多数決という手続きの

ことだと思っているだろう。それがどれほど切実な理由から選択されたのか、その歴史的経緯を知らない。「どうして民主制が選ばれたのか」について根源的に考えることを市民たちが止めてしまった時が民主制の危機だと私は思う。

（「内田樹の研究室」２０１９年8月12日）

『民主主義』解説

「検閲」に対する微妙な違和感

戦後、憲法が施行されて間もなく文部省が「民主主義の教科書」を編んだことがあった。１９４８年に出て、53年まで中学・高校で用いられた。それがたいへんにすぐれたものであったという話は以前から時おり耳にしていた。とはいえ、今の文科省の実情を知っている者としては「昔は今とはずいぶん違って開明的な組織だったのだな」という冷笑的な感想以上のものを抱くことができなかった。

その本が復刻されるので解説を書いて欲しいという依頼を受けた。ネットの書誌情報を見ると、これまでに復刻版が１９９５年に径書房から、短縮版が２０１６年に幻冬舎から出されている。いずれもまだ流通中であり、そこにさらに復刻版を出すことは「屋上屋を重ねる」ことになりはしないかと心配したが、それは私の与《あずか》り知らないことである。良書が複数の版元から異なるヴァージョンで提供されるのは間違いなくよいことである。

最初にメールをもらった時は、中学・高校生向けの「民主主義の教科書」というのだから、きっと薄手のパンフレットのようなものだろうと思って引き受けたのだが、送られてきたゲラを見たら445頁もあった。最初に出たときは上下二巻だったそうである。とても中高生向けの教科書ではない。ほとんど学術書である。けれども、構成が端正で、論理の筋道が確かで、文章がよく練れていて、何より「民主主義とは何か」を十代の少年少女に理解してもらおうと情理を尽くして書かれている文章の熱に打たれた。そして、読み終えて、天を仰いで嘆息することになった。それは今から70年前に書かれたこの「教科書」が今でも十分にリーダブルであり、かつ批評的に機能していたからである。

ここに説かれている「民主主義とはどういうものか」という説明は、今読んでも胸を衝《つ》かれる本質的な洞察に満ちている。「そうか、民主主義とは本来そういうものだったのか」と今さらのように腑に落ちた。「リーダブル」というのはそのことである。

同時に、この本が熱情をこめて訴えて、今後の課題として高く掲げていた「その民主主義をどうやって実現してゆくのか」について言えば、その課題はそれから70年を閲《けみ》してもほとんど実現されることがなかった。「批評的」というのはそのことである。

この本はきわめて論理的に、構成的に書かれている。だから、この種の書物としては例外的にわかりやすい。いささか観念的な議論に流れそうだと執筆者が判断したところでは、具体的な事例を挙げたり、歴史的経緯を遡《さかのぼ》ったりして、中学生にでもわかるように実に懇切丁寧に噛み砕いた説明がしてある。

けれども、この「わかりやすさ」に私は微妙な違和感を覚えもしたのである。それはこの書物の成立事情に「検閲」がかかわっていたからである。

本書は、ＧＨＱの指示に基づいて、日本国憲法の理念を擁護顕彰し、民主主義的な社会を創出してゆくという遂行的課題を達するために、敗戦国の役所が、子どもたちを教化するために出版した。

この歴史的条件は、執筆者たちに、いくつかのことについては「書かなければならない」という実定的なしばりを課した。そして、それと同時に、仮に執筆者たちが心の中で思っていたとしても「書くことを禁じられていたこと」もあったはずである。

私は以前フランスの思想史を研究していた頃、ナチスドイツの占領下でフランスの知識人たちがドイツの検閲官の眼を逃れるために、どのようにして彼らの「ほんとうに言いたいこと」を暗号で書き記したかについて調べたことがある。その時に私が得た読解上の経験則は「ほんとうに伝えたい隠されたメッセージは、文章の表層に、あたかもごく日常的な普通名詞のように、無防備に露出しており、そのせいでかえって検閲官の関心を惹くことがない」というものであった。この経験則がこの本についても適用できるかどうか、わからない。けれども、この本を検閲という歴史的条件抜きに読むべきではないだろうと思う。それによって文章はある種の「屈曲」を強いられていたはずである。その屈曲を補正することで、私たちはこの教科書を書いた人たちが敗戦国の少年少女たちにほんとうは何を伝えたかったのかについて推理することができるのではないかと思う。この本の魅力は、コンテンツの整合性や「政治的正しさ」よりむしろ、書き手のこの屈託と葛藤が生み出したものではないのか。その仮説をしばらく追ってみることで本書の解説に代えたいと思う。

敗戦国という歴史的条件が「読み方」を指示してくれる

これは第二次世界大戦が連合国の勝利に終わった直後に、連合軍の占領下にある敗戦国で出版された教科書である。だから、本書がイギリス、フランスなかんずくアメリカに現存している民主主義的な統治システムが人類の進歩のみごとな達成であるという評価を不可疑の前提とするのは当然のことである。大日本帝国の軍国主義とドイツのナチズムとイタリアのファシズムとは許し難い「独裁主義」として繰り返し、きびしく批判される。そればかりではなく、東西冷戦の前夜の緊張感が背景にある以上、枢軸国を切り捨てた返す刀で、スターリンのソ連におけるプロレタリア独裁もまた民主主義の本義に反する政体としてきびしく懐疑的なまなざしを向けられる。政体の良否についての判断はほとんど先験的に明らかである。

しかし、それにもかかわらず、ここには検閲者であるGHQを慮《おもんぱか》った、強者に理ありとするタイプの事大主義的な文言は見ることができない。私はこの抑制に驚かされる。この節度ある文体を保つために、どれほどの知的緊張を執筆者たちは強いられたのだろうか。

もちろん全篇を通じて、アメリカの統治システムは高く評価されている。けれども、その評価は客観的である。たしかな歴史的な裏付けと、執筆者自身の信念に基づいて、その評価は下されている。アメリカ独立の経緯から説き起こし、その内部矛盾や金権政治の弊を指摘し、大統領・議会・最高裁判所が拮抗《きっこう》するアメリカの制度の「大きな妙味」を記した章の執筆者は、はっきりとウッドロー・ウィルソンとフランクリン・ルーズベルトの政治理念への支持を明らかにしている。ルーズベルトのニューディール政策の白眉であったＴＶＡの事業の卓越性をたたえることにかなりの紙数を割いており（４３２頁）、資本主義の暴走を政策的介入によって抑止し、「完全雇傭」（２０８頁）を実現しなければならないというケインズ主義への共感も隠されていない。また女性の参政権や社会進出について書かれた章では、独立宣言の起草者のひとりジョン＝アダムズの妻が女性の権利拡大を夫に訴えた手紙を採録し、あまり知られていないアメリカにおける女性の権利拡大の歴史についても深い共感をもって記述している（３６６頁）。

つまり、この「教科書」の執筆者たちは「アメリカはどうして最強国になったのか、アメリカから学びうるものがあるとすれば何か」についてはかなりはっきりとした個人的な信念に基づいて執筆しているということである。おそらく彼らはＧＨＱの検閲官たちよりも自分たちの方がアメリカの歴史や統治システムについて精通しているという知的な自負に支えられていた。そのようなすぐれた執筆者を集めることができたという点ひとつをとっても、この「教科書」は異質なものと言える。

共産主義についての評価もきわめて精密で周到な筆致でなされている。先ほど触れたように、ソ連のスターリン主義（という言葉はまだなかったが）と国際共産主義運動については何か所かで手厳しい批判が記されているけれども、これもあくまでソ連の統治システムが十分に民主主義的でないという点について、「手続きに問題あり」として批判されているのであって、共産主義は原理的に間違っているとか、私有財産の廃絶など狂人の妄説であるというような一刀両断的断罪ではない。

だから、この本の共産主義にかかわる部分が検閲に供された過程で、ＧＨＱ内部でこの採否をめぐって対立があったとしても私は怪しまない。これが（多少の改変はあったかも知れないけれど）このかたちで通ったのは、ＧＨＱ内部の「ニューディーラーたち」がこの記述に一定の共感を抱いたからだろう。

本書にはこうある。「各国の共産党にしても、もしもそれが議会政治の紀律と秩序とを重んじ、ひとたび議会での多数を獲得すればその経綸《けいりん》を行い、少数党となれば、多数に従うという態度ですすもうとしているのであるならば、それは、レーニンなどによってひよりみ主義として痛烈に非難されたマルクス主義陣営中での穏健派の立場に帰っているのである。」(278頁)

つまり、この教科書はマルクス主義政党が民主的な手続きで議会内の多数派を制したならば「その経綸を行う」ことを当然の権利として認めているのである。

この政治的寛容は、この教科書を読む中学生や高校生のうちに、マルクスをすでに読んで共感したものや、いずれ読んでマルクス主義者になるものが必ず一定数いることを予測しているがゆえに採用されたのだと私は思う。それゆえ、なぜマルクスの社会理論が19世紀のヨーロッパに生まれたのか、その歴史的必然性を明らかにした上で、これは日本がとるべき途《みち》ではないと諄々《じゅんじゅん》と「諭《さと》す」という文体を執筆者は採用している。そして、日本が民主主義的な政体である限り、マルクス主義者たちとの対話は可能であり、双方が情理を尽くして話し合えば、合意形成は可能であるという希望を暗黙のうちに語っている。これは読者の知性を信頼する書き手にしか採用できない書き方である。

今述べたような点は、検閲を念頭に置いて読むことで、テクストがむしろ深みを増す箇所だと言ってよいだろう。執筆者たちを扼《やく》していた「１９４８年・敗戦国」という歴史的条件がいわばメタ・メッセージとしてこれらの言説の「読み方」を指示してくれる。

明治憲法下でも可能であった民主主義

私がとりわけ興味深く読んだのは、第十二章の「日本における民主主義の歴史」である。それは、ここで執筆者はどうして日本には民主主義は健全に育つことがなく、軍国主義に屈したのかについて自己剔抉《てっけつ》を試みているからである。

この章は「天は人の上に人を作らず、人の下に人を作らず」という福沢諭吉の言葉から始まる。そして、「明治初年の日本人の中には、このように民主主義の本質を深くつかんだ人々があった。そうして、それらの人々が先頭に立って、民主主義の制度をうちたてようとする真剣な努力が続けられた」として、それ以後の近代日本における民主主義の発展と深化の歴史がたどられる。（２８１頁）

議会の草創期における政党の離合集散についての詳細な記述から、読者は明治の人々が文字通り試行錯誤のうちで日本の議会制民主主義を手作りしようとしていた悪戦の歴程を学ぶことができる。たしかに、この時期に日本人は輸入品ではなく、自分たちの手で、日本固有の民主主義を創り出そうとしていたのである。

近代日本のうちに民主主義の萌芽を見出そうとする執筆者たちの努力はとりわけ明治憲法制定についての記述で際立つ。そこにはこう書かれている。

「この憲法は、『天皇の政治』というたてまえをくずさないかぎりで、なるべく国民の意志を政治の中に取り入れうるようにくふうしてある。立法も行政も司法も、形のうえでは『天皇の政治』の一部分なのであるが、その実際の筋道は、やり方しだいでは、民主的に運用することができるようになっていたのである。」（２９２頁）

苦しい言い方だけれど、「やり方しだいでは、民主的に運用できるようになっていた」というのは、ＧＨＱの検閲下で明治憲法について書かれた言葉としては許容限度ぎりぎりの評価と言うべきであろう。

明治憲法の「近代性・民主性」を強調する文言はほかにも見られる。

「『帝国議会』は、貴族院と衆議院とから成り、衆議院の議員はすべて国民の中から選挙された。（…）かくて、議会の賛成なしには国の政治を行うことは原則としてできないことになった。そのかぎりでは、国民の意志が政治のうえに反映するような制度になってい

たといってよい。」（２９２頁）

「天皇も、国務大臣の意見に基づかないでは政治を行うことはできないようになっていたし、行政についての責任は国務大臣が負うべきものと定められていた。これは、政治の責任が天皇に及ぶことを避ける意味であったと同時に、天皇の専断によって専制的な政治が行われることを防ぐための同意でもあった。」（２９２頁）

　限定的ではあったけれど、言論の自由、信教の自由も明治憲法では認められていたと執筆者は繰り返し主張する。「そういう点では、明治憲法の中にも相当に民主主義の精神が盛られていたということができる」とまで書いている（２９３頁）。その「民主主義の精神」が日本社会に定着しなかったのは明治憲法には「民主主義の発達をおさえるようなところ」もかなり含まれており、「そういう方面を強めていけば、民主主義とはまったく反対の独裁政治を行うことも不可能ではないようなすきがあった」からである（２９３頁）。

　運用次第では明治憲法下でも日本は民主主義的な国家となることができたとここには書かれている。その先例はイギリスの王制に見出すことができる。イギリスは立憲君主制であり、国王には議会で決めた法律案に同意することを拒む権利が賦与されているが、その権利は１７０７年以来一度も行使されたことがない（73頁）。天皇制もそのように運用することは法理的には可能だったはずである。しかし、そうならなかった。独裁政治の侵入を許すような憲法の「すき」が存在したからである。

一つは「独立命令」「緊急勅令」という、法律によらず、議会の承認を経ずに法律と同じ効力をもった政令を発令する権限を天皇に賦与したことである。

もう一つは「統帥権《とうすいけん》の独立」である。憲法11条に定めた「天皇は陸海軍を統帥す」に基づき、戦略の決定、軍事作戦の立案、陸海軍の組織や人事にかかわるすべての権限が政府・議会の埒外《らちがい》で決定された。そして、統帥権の拡大解釈によって、軍縮条約締結や軍事予算編成への干渉、さらには産業統制、言論統制、思想統制までもが「統帥権」の名の下に軍によって専管されたのである。その結果、浜口雄幸《はまぐちおさち》はテロリストによって、犬養毅《いぬかいつよし》は海軍将校によって、ともに軍縮に手をつけようとして殺害された。「武器を持って戦うことを職分とする軍人が、その武器をみだりに振るって、要路の政治家をつぎつぎに殺すことを始めるにいたっては、もはや民主政治もおしまいである」（306頁）。昭和6年からの三月事件、十月事件、血盟団事件、五・一五事件から昭和11年の二・二六事件に至る一連のテロによって、日本の民主主義はその命脈を断たれた。

「かくて、軍閥は、この機に乗じて日本の政治を動かす力を完全に獲得し、これに従う官僚中の指導的勢力は、ますます独裁的な制度を確立していった。政党はまったく無力となり、民意を代表するはずの議会も、有名無実の存在となった。そうして、勢いのきわまるところ、日華事変はついに太平洋戦争にまで拡大され、日本はまさに滅亡のふちまでかりたてられていった。」（308頁）

この帝国戦争指導部に対する怒りと恨みには実感がこもっている。軍国主義に対する怒りはGHQに使嗾《しそう》されなくても、本書の執筆者全員に共有されていたはずである。それゆえ、この教科書は「軍国主義」を近代日本が進むべきだった道筋からの「逸脱」ととらえるのである。そして、それを「のけて」、明治初期の福沢諭吉や中江兆民のひろびろとした開明的な民主主義思想と、今始まろうとしている戦後民主主義を直接に繋げようとするのである。そうすることによって、戦後の民主日本を実はもともと民主主義的な素地のあった大日本帝国の正嫡として顕彰するという戦略をひそかに採択したのだと私は思う。

掘り出し守ろうとした先人たちの業績

これはすでに気づいた人がいるだろうけれど、司馬遼太郎の「司馬史観」と同型のものである。司馬遼太郎は明治維新から日露戦争までの40年、敗戦までの40年、戦後の40年に近代日本を三分割して、第二期に当たる昭和一桁から敗戦までの十数年を「のけて」、前後をつなぐという歴史観を披瀝《ひれき》したことがある。

「その二十年をのけて、たとえば、兼好法師や宗祇《そうぎ》が生きた時代とこんにちとは、十分に日本史的な連続性がある。また芭蕉や荻生徂徠《おぎゅうそらい》が生きた江戸中期とこんにちとは文化意識の点でつなぐことができる。」(『この国のかたち 二』)

「異胎・鬼胎」としての軍国主義を歴史から切除しさえすれば日本文化の連続性は回復できるという司馬遼太郎の歴史戦略は、多くの戦後日本人に歓迎された。それが歴史的なものの観方《みかた》としてどれほど学術的検証に堪えうるものかは定かではないが、戦後の日本人たちがこの「物語」を愛したのは事実である。

立場は異なるけれど、本書を執筆した人々の心の中にも、「古き良き日本」と戦後日本を繋いで、そこに連続性を見出そうとする志向は、控えめな仕方ではあったにせよ、存在していたように思われる。その心情は掬《きく》すべきだと思う。

しかし、その作業をほんとうに誠実に履行しようとしたら、どうして日本人はある時点で民主主義を自力で育てることを止めて、軍国主義に魅入られるに任せたのかという重苦しく、つらい思想的・歴史的な問いを引き受けなければならない。残念ながら、敗戦直後の日本人にはそのようなつらく不毛な作業を最優先するだけの余力はなかった。現に、「日本の前途に幾多の大きな困難が横たわっている」のである（441頁）。「この狭い国土にこれだけの人口をかかえて、これからさき日本がはたして自活していけるかどうか」（417頁）さえおぼつかない時代だったのである。ここでいう「国として」も「人間として」も、文字通り「統治機構が崩壊しない」「飢え死にしない」という切迫した意味で使われている言葉だということを忘れてはいけない。食管法を遵守して、配給食糧のみを食べていた山口良忠判事が餓死したのは47年のことである。

　とりあえず「これからの日本にとっては、民主主義になりきる以外に、国として立ってゆく道はない。これからの日本人としては、民主主義をわがものとする以外に、人間として生きてゆく道はない。それは、ポツダム宣言を受諾したとき以来の堅い約束である。」（4頁）

　民主主義国になるということは、この時点では、ポツダム宣言の「日本国民を欺いて世界征服に乗り出す過ちを犯させた勢力を永久に除去する」という厳格な条項を履行するということである。とはいえ、日本人には権利上も事実上も、「除去」を履行する実力はない。だから、「日本国民を欺いて世界征服に乗り出す過ちを犯させた勢力」たる軍国主義者は「永久に除去」されるものと決まったけれど、誰が除去され、誰が除去されないのか、それはいかなる基準によって判定されるのかは占領軍の専管事項に委ねられた。そうである以上、日本人にとって「なぜ私たちの社会は軍国主義者とそれに賛同する圧倒的多数の国民を生み出したのか？」という問いは喫緊《きっきん》のものではありえなかったのである。考えても仕方がないし、そもそも考える権利を与えられていないのである。だから、日本人はそれについて考えるのを止めた。

なぜ日本人は民主主義を育てるのを止めて、軍国主義に走ったのか。ほんとうは「民主主義の教科書」はそれを柱にして書かれるべきだった。そのことは執筆者たちにもわかっていたと思う。けれども、上のような理由によって、その主題は忌避された。

そしてその代わりに、明治・大正までの日本と、戦後日本は「心」で繋がっているという不思議なレトリックが採用されることになった。戦後民主主義を讃えながら、本書では、それは制度の問題ではなく、心の問題だということが強調されているのである。

「では、民主主義とはいったいなんだろう。多くの人々は、民主主義というのは政治のやり方であって、自分たちを代表して政治をする人をみんなで選挙することだと答えるであろう。それも、民主主義の一つの表われであるには相違ない。しかし、民主主義を単なる政治のやり方だと思うのは、まちがいである。民主主義の根本は、もっと深いところにある。それは、みんなの心の中にある。」（3頁）

さらっと読み飛ばしてしまいそうだけれど、まさにこの命題からこの本は書き始められているのである。民主主義は制度ではない、心だ、と。いや、そういう考え方も民主主義についての一つの考え方かも知れないけれど、それはあくまで一つの考え方に過ぎない。デモクラシーは心の問題であると断定したら、「それは違う」と言い出す人がいくらもいるだろう。カントなら「違う」と言うだろうし、プラトンも「違う」と言うだろう。でも、この本はそういうかなり偏った定義から話を始めているのである。民主主義は制度にではなく、心に宿る。そうだとすると、まったく統治モデルが違う国でも、どちらも心においては民主主義であるということがありうる。

国ごとに統治のかたちがどれほど変わっても、「その根本をなしている精神は、いつになっても、どこへ行っても変わることはない。国によって民主主義が違うように思うのは、その外形だけを見ているからである。（…）民主主義の本質は、常に変わることのない根本精神なのである。したがって、民主主義の本質について、中心的な問題となるのは、その外形がどの種類かということではなくて、そこにどの程度の精神が含まれているかということなのである。」(19～20頁)

これは黙って読み通すことのできない文言である。「いつになっても、どこへ行っても」とはどういうことか。おそらくここで執筆者は「明治・大正期の大日本帝国」にも、制度的には不備であったとしても、民主主義の「根本精神」は存在したと言いたいのだ。

しかし、過去の日本に存在した萌芽的な民主主義「精神」の正系として戦後日本の民主主義「精神」を位置づけるというような文言をGHQが許可するはずがないことは分かっていた。だから、執筆者たちは「いつになっても、どこへ行っても」民主主義の精神のあるところは民主主義的な社会なのだと書く他なかったのである。

その三年前まで人々が喧《かまびす》しく呼号していた「國體《こくたい》の護持」という空語を忌避しつつなお日本社会と文化の連続性を顕彰し、敗戦国民の矜持《きょうじ》を高めようとすれば、このような言葉づかいを選ぶしかなかったのだ。

誤解して欲しくないけれど、私はこの「屈曲」を批判しているわけではない。この本を書いた人たちはすばらしい仕事をしたと思う。おそらくは「一億総懺悔《ざんげ》」と称して過去の日本のすべての制度文物を「歴史のごみ箱」に放り込んで、新しい政治体制とイデオロギーに適応しようとしている世渡り上手の同時代人を苦々しくみつめながら、敗戦の瓦礫《がれき》の中から、明治以降の先人たちの業績のうち残すべきものを掘り出して、それを守ろうとしたのである。敗戦の苦しみの中で、占領軍の査定的なまなざしの下で、本書の執筆者たちは戦前の日本と戦後の日本を架橋して、戦争で切断された国民的アイデンティティーを再生しようとして「細い一筋の理性の綱」を求めたのである。このような先人を持ったことを私は誇りに思う。

（２０１８年10月24日『民主主義』角川ソフィア文庫、解説）

租税回避と国民国家の解体

官民挙げて認めている合理性

超富裕層の海外脱出と租税回避行動が目につき始めた。

消費者金融大手武富士の創業者の長男が両親から生前贈与をされた約１３００億円に課税されたことを不服として、自分は香港住民であって、日本政府に納税義務はないとした訴訟で、最高裁は相続人の訴えを認め、国は利息を含めて２０００億円を彼に支払うことになった。

この事例はすでに超富裕層が日本政府による課税を逃れるために、香港やシンガポールに生活拠点を移すことがトレンドとなっていることを示している。

租税回避行動は別に個人の資質や性向の問題ではなく、グローバル化趨勢《すうせい》の必然的な帰結である。「金儲け」を人生の第一目的に掲げる人間にとって租税回避行動は合理的な選択である。経済のグローバル化が進行するにつれて、この傾向はますます強化されるだろう。それが「合理的だ」ということを官民挙げて認めているのだから、もう止めようがない。

ご案内のとおり、企業はすでに法人税率の安い国に拠点を移すことを当然の経営上の選択と見なしている。海外での売り上げを法人税率の低いアイルランドのペーパーカンパニーに移してアメリカへの納税を回避してきたApple のＣＥＯが先般米上院に召喚された。ＣＥＯはこの措置に憤激しているが、彼にしてみたら当然の経営判断がなぜ責められるのか納得がゆかないであろう。株式会社は株主の利益を最優先に配慮するのがルールである。だから、人件費の安い国、製造コストの安い国、法人税率の低い国、公害規制のない国に拠点を移すのは新製品開発や組織合理化と同じ日常業務の一つに過ぎない。企業はどこの国で創業しようと、現時点で最大の収益をもたらす国に拠点を移すのが当然というのがグローバル経済の常識である。

２０１２年の大飯《おおい》原発再稼働のとき、日本の財界も同じ「常識」に基づいて野田佳彦内閣を恫喝《どうかつ》した。原発を再稼働しなければ電力コストが上昇して、日本企業の国際競争力は減殺される。このまま再稼働しないのであれば、われわれは日本を捨てて製造拠点を海外に移すであろう。そうすれば、国内の雇用は消失し、地域経済は壊滅し、法人税収入は失われるが、それでもいいのか、と。それで日本経済ががたがたになっても、それは原発再稼働を渋った日本政府と日本国民の責任であり、われわれは関知しない、と。この恫喝に屈服して政府は再稼働を容認した。

　このとき日本人は「一円でもコストが安いところで操業するのが企業の常識であり、創業者が何国人であろうが、創業地がどこの国であろうが、そんなことは企業行動に何の関係もない」というルールを素直に受け容れた。「それが常識だ」と思う人が今の日本ではもう圧倒的な多数派を形成している。

　だが、落ち着いて考えれば、こういう考え方が「常識」に登録されたのは実は近年のことだということに気づくはずである。

　少し前まで、日本企業なら、できるだけ多くの同胞に雇用機会を提供し、企業城下町である地元の経済を潤し、できるだけ多くの税金を国庫に納めることに達成感を覚えるべきだという考えの方がむしろ「常識」だった。もちろん、本音は違っただろう。税金をできるだけたくさん払いたい人間なんかいるはずがない。でも、租税回避行動や人件費抑制や海外への拠点移動は「これ以外にわれわれが生き延びる方法がないのです」という苦渋の表情の下に言い訳がましく行われた。体裁をつくろうだけの疚《やま》しさが経営者の側にはあった。そうしないと、国民から非難され、企業イメージが傷つき、経営に悪影響が出るのではないかという恐怖があった。それがなくなった。「税金が高いから、人件費が高いから、製造コストが割高だから」という理由で日本を去るのは当然の選択だと堂々と公言する財界人が今や圧倒的なマジョリティを占めるようになった。そのような行動を非難する世論が消えた。

生き延びたければ、「日本列島から逃れる」時代

繰り返し言うが、これはかなり最近生じた変化である。少なくとも四半世紀前はそうではなかった。１９６０年代に池田勇人内閣の高度成長政策を起案した大蔵官僚の下村治は国民経済についてこう書いている。

「本当の意味での国民経済とは何であろうか。それは、日本で言うと、この日本列島で生活している一億二千万人が、どうやって食べどうやって生きて行くかという問題である。

この一億二千万人は日本列島で生活するという運命から逃れることはできない。そういう前提で生きている。中には外国に脱出する者があっても、それは例外的である。全員がこの四つの島で生涯を過ごす運命にある。

その一億二千万人が、どうやって雇用を確保し、所得水準を上げ、生活の安定を享受するか、これが国民経済である。」（下村治『日本は悪くない　悪いのはアメリカだ』、文春文庫、95頁）

下村がこう書いたのは１９８７年、四半世紀前のことである。２０１３年現在、同じ自民党政権でありながら、下村のこの国民経済論に同意する政治家も官僚も財界人も、ジャーナリストさえ日本にはもうほとんど存在しない。そのことに私たちは驚くべきだろう。

下村は別に机上の空論を述べていたわけではない。彼は戦後日本でもっとも成功した経済政策を起案し実施した実践家である。その「もっとも成功した経済政策」の最優先課題は「日本列島で生活するという運命から逃れることのできない」同胞をどうやって食わせるかということだった。

だが、今、その基本理念をとりあえず党名は同一である政党は捨てた。

「日本列島で生活するという運命から逃れることのできない」人間たちはグローバル経済の時代においては、もう政策的配慮の優先的な対象ではない。列島内の生産性の低い産業セクター（例えば農林水産業）にしがみついていたせいで彼らがこの先どれほど貧窮化しても、それは「日本列島で生活するという運命」から逃れようとしなかった彼らの意思（と無能）の帰結であり、自己責任で引き受けるしかない。自民党政府はそう考えているし、そう公言している。生き延びたければ、「日本列島から逃れる」ことのできるような機動性の高い人間になる他ない。それが現代日本の「常識」である。

　だから、人々は必死になって英語を覚え、子どもを英語圏の学校に送り出し、できることなら海外に生活拠点を移し、海外に人的ネットワークを構築し、日本が滅亡しても自分だけは生き残れるようなタフな人間になろうとしている。

　これを「日本人もグローバル化して結構なことだ」と言祝《ことほ》いでいる人がいるが、そういう人は何か根本的な勘違いをしていると思う。

　忘れてはいけないのは、グローバルであることに高い価値が賦与されるのはドメスティックな文脈においてだけということである。英語が話せることがアドバンテージになるのは英語が話せる人間があまりいない社会においてである。ハーヴァードやスタンフォードでの学位が法外に高く評価されるのは、同じ学位を持つ人間がまわりにいない環境においてだけである。海外に工場や支店を展開して「国際的なビジネスマンになった」と自慢顔の経営者に新聞雑誌が取材を求め、その経営哲学をうれしげに拝読する読者がいるのは日本国内だけである。

政府に2000億円支払わせた消費者金融の御曹司は今、香港社会でどのような格付けをされているのだろうか。むろん彼の周りには彼から金を巻き上げようとする無数の人間が満面の笑顔で蝟集《いしゅう》してきてはいるだろうが、彼の蓄財と処世の才に深い敬意を抱き、その人生哲学を聴かせて欲しいとか、グローバル時代のロールモデルとしてわれわれの範となって欲しいとかいう人間はたぶん一人もいないはずである。皮肉なことだが、「グローバルであること」がアドバンテージを持つのは、グローバリストが砂を掛けて立ち去ったはずのローカリティの内部においてだけなのである。

「グローバリスト」のための憲法

今、われわれの国では、「日本のシステムはダメだ。だから、私は日本で教育を受けず、日本に拠点を置かず、日本でビジネスをしない」と公言する人間ほど日本社会内部で高い評価を受けるという倒錯的な格付けが行われている。わかりやすい比喩を使って言えば「船が沈没するときにまっさきに脱出できるように上空にヘリコプターを待機させておけるほど目端の利いた人間に船の舵取りは任せるべきだ」というロジックが通用しているのである。「いつでも日本を捨てることのできる人間（あるいは、すでに捨てている人間）」が「日本人のあるべきモデル」とされているのである。

その倒錯ぶりは自民党の「自民党改憲草案」にもはっきり表われている。草案のミリタリズムや反民主主義的傾向にはさまざまな批判があるが、私はむしろ論ずる人のいない22条の改変にこの政党の倒錯の症状を見るのである。彼らの22条改憲案は以下の通りである。

「何人も、居住、移転及び職業選択の自由を有する。
2　全て国民は、外国に移住し、又は国籍を離脱する自由を有する」

いったいこの草案のどこに問題があるのか、これだけ読むと気づく人はほとんどいないだろう。だが、現行憲法の同条と読み比べるとわかる。現行憲法はこうだ。

「何人も、公共の福祉に反しない限り、居住、移転及び職業選択の自由を有する。

何人も、外国に移住し、又は国籍を離脱する自由を侵されない」

一読すればわかる通り、改憲案では、「公共の福祉に反しない限り」が削除されたのである。

周知のように、今回の自民党改憲草案では、「公共の福祉に反しない限り」という言葉はシステマティックに「公益及び公の秩序に反しない限り」に置き換えられた。

「公共の福祉」というのは「人民の安寧が至高の法なり」(salus populi est suprema lex)という法諺《ほうげん》にある salus populi の訳語である。

ラテン語 salus には「健康、幸い、無事、安全、生存、救助、救済」など多義がある。だから、市民たちはそれぞれの信じる salus の定義に基づいて、統治者の採択する政策について、それが民である自分自身の salus に資するものであるかどうかを判定することができた。つまり、「公共の福祉」が何を意味するのかを決めるのは原理的には国民だったのである。

だが、改憲案にある「公益及び公の秩序」が何を意味するのかを決めるのは国民ではない。原理的にも手続き的にも、それを決めるのは政府である。それは国民がもはや国の主権者ではなくなったということを意味している。国民はそのときどきの為政者の自己都合によってそのつど恣意的にその人権の行使を制約されるということである。

例えば、21条の「集会、結社及び言論、出版その他一切の表現の自由は、これを保障する」という現行憲法に改憲案は次のような第2項を書き加えた。

「前項の規定にかかわらず、公益及び公の秩序を害することを目的とした活動を行い、並びにそれを目的として結社をすることは、認められない」

ある個人や団体が「公益及び公の秩序を害することを目的」としているかどうかの判定は政府が専管する。そうであるなら、どのような政治活動も言論も政府が「好ましくない」と判断すれば、ただちに停止する他ないのである。

だが、私は今その話をしているのではない。かくも私権の制限に熱心な改憲草案の起草者たちがなぜか一か所だけその制約を外していることの異常さを怪しんでいるのである。「公共の福祉に反しない限り」という限定を外したということは、「居住、移転及び職業選択の自由」は「公共の福祉」より上位に置かれるということである。集会結社や言論出版などの基本的人権の行使については強権的な縛りをかける政府が、居住、移転及び職業選択についてだけは放任の立場を採っている。この言外の意味は、頻繁に居所を変え、絶えず移動し、職業を変え、（場合によっては国籍離脱を厭わない）人間にこそ国家は最大限の自由を保障し、その便宜を図らなければならないと起草者たちが考えていたということである。ここまで読めば、自民党改憲案が「グローバリスト」のための憲法であることに疑いをはさむ人はいないだろう。

租税回避者は改憲草案の起草者が「あるべき日本人」のモデルとして思い描いている「グローバルな日本人」の究極の姿である。同胞の運命にも祖国の未来にも一片の関心もなく、ただ、おのれの自己利益の増大と確保だけに汲々とする人間。政治家官僚から大学人やジャーナリストまでが日本人に向かって「そのようなもの」になるべく自己形成せよと言い立てている。

グローバル企業は国民国家の資源を食い尽くす

興味深いのは、そういうグローバリストたちが一方で「愛国心の涵養《かんよう》」を力説していることである。だが、この一見すると矛盾した言動も、彼らが必死になって「理想の日本人像」の書き換えをしているという事実を踏まえれば、話の平仄《ひょうそく》が合う。

「日本列島で生活するという運命から逃れることのできない」人々は機動性を最大の徳と

みなすグローバリストの基準からすれば「下層民」に類別されるわけだが、この「下層民」に対しては、低賃金と長時間労働を受け容れ、非正規雇用に甘んじ、消費税を払い、社会保障の削減に耐え、未来を担保に入れても消費活動に励み、労働運動を「既得権」の受益者だとみなし、反政府的な知識人を「非国民」と罵倒することが求められている。グローバル企業の収益増大を阻むすべての社会的要素は根絶されねばならないわけだが、その「収益増大を阻む要素」の中には当の「下層民」たち自身の雇用や人権も含まれる。彼らが自分自身の雇用条件の劣化や人権の制約を受け容れてまでもグローバル企業の収益増大に献身しなければならないと考えるためには、そうすることが「日本のため」だと信じていることが必要だ。

だから、ここでイデオロギー的な操作が行われる。国民国家の国益などには一次的な関心を持たないはずのグローバリストが、韓国や中国を口汚く罵ることに妙に熱心なのは、そのためである。彼らはこんなふうに言い立てる。われわれは一種の「戦争」を戦っているのだ。韓国の企業や中国の企業と「経済戦争」を戦っているのだ。「下層民」たちはそう教え込まれている。

「日本列島から出られない」宿命にある人間の耳は、国家と国家の間にこそ非妥協的な対立があるという物語にはなじみがよい。だから、「中国や韓国には負けられない」という話を聞かされると、「欲しがりません、勝つまでは」という古いスローガンに簡単に頷いてしまうのである。自分たちの日々の受苦がやがて来る日本の勝利に繋がるのなら、いかほどのことがあろうかと思ってしまうのである。

だが、実際に戦っているのは国と国ではない。私企業と私企業がシェアを争っているだけの話である。グローバル企業の多くは、社名だけはまだかろうじて日本語でも、実際には経営者も外国人、株主も外国人、従業員も外国人、操業地も海外というような無国籍企業である。それでも、そういう無国籍グローバル企業があえて「日本の企業だ」を名乗るのは、そういう名乗りをすればわが国の国民資源を私企業の資産に付け替える作業がスムーズに進行するからである。「日本の企業だ」と名乗れば、企業は本来負担すべきコストを国民国家に「外部化」することができるからである。汚染水や排気ガスを海洋や大気に放出するのは公害対策コストの外部化である。交通インフラ整備を求めるのは流通コストの外部化である。原発稼働を求めるのは製造コストの外部化である。「グローバル人材育成」を大学に求めるのは人材育成コストの外部化である。そうやってグローバル企業は日本国に「ツケを回して」いるのだが、「ツケを回す」ことができるためには、回す側と回される側の双方が「われわれは身内だ」というストーリーを共有していなければならない。

グローバリスト自身はもちろんそんなストーリーを信じてはいない。信じてはいないが信じているふりをするとコストが劇的に削減されることがわかっているので信じているふりをしているのである。だから、日本のことを内心では何とも思っていない人間たちが「日本のために」ということをことあるごとに言挙げして、国歌を歌えとか国旗を掲げろとか韓国人や中国人を罵倒しろとかいうことをやかましく指図するのである。

そう言われている国民の側だって、なんとなく「変だな」と思ってはいるのである。だが、総理大臣も、財務官僚も、大新聞の論説も、「グローバル企業の収益増大こそわが国の国益増大の唯一の道だ」と主張しているのに対して一般市民には反論の備えがない。しかたなく、半信半疑のまま「そうなのかな……」とぼんやり立ち尽くしている。

日本国民すべてが疑念を抱くことなく、グローバリストの指示通りに「日本を捨てることをためらわず、同胞の幸福を顧みることもなく、自己利益だけを追求する人間こそ、このグローバル時代においては最強の人間であり、それゆえ日本人はすべからくそのような『理想的日本人』めざして自己形成せねばならない」と信じること、それが今官民挙げて行われているイデオロギー教育の目標である。租税回避や子弟の海外留学や海外への生活拠点の移転などの「日本を見限る行動」が日本人の成功譚《せいこうたん》として語られるのはまさにそのようなイデオロギー教育の一環である。

この傾向はこの先しばらくは続くはずである。だが、グローバル企業はその本性からして、最終的には国民国家の資源を食い尽くさずにはいない。その過程で、国民はただひたすら貧窮化し、人権を制約され、さまざまな自由を奪われるだけである。そのような仕打ちに日本人がいつまで耐えられるか。私には予測がつかない。いい加減に目を覚ましそうな気もするし、このまま倒錯のうちに衰弱し果ててゆくような気もする。私としては「はやく目を覚ませ」という警鐘を乱打する以外にさしあたりはすることがない。

（「内田樹の研究室」２０１７年１月９日）

対米従属テクノクラートの哀しみ

ほんとうの主権者は太平洋の向こうにいる

私たちが「問題」と呼んでいるものの多くは長期にわたる私たち自身の努力の成果である。だから、それは「問題」というよりむしろ「答え」である。

私見によれば、現代日本の問題点の多くは、私たちが久しく「ある現実」から必死に目を背けてきた努力の成果である。私たちが目を背けてきた「ある現実」とは「日本はアメリカの属国であり、主権国家ではない」という事実である。この事実を直視することを集団的に拒否したことから今日のわが国の不具合のほとんどすべてが派生している。

日本は属国だというとすぐに怒り出す人たちがいるので、同じことをそれよりは穏やかな表現に言い換えてみる。「日本国民は憲法制定の主体ではない」。これなら、たぶん国民のほとんどが同意してくれるだろう。

日本国憲法は１９４６年11月３日に公布された。公布時点では「上諭《じょうゆ》」というものが憲法の「額縁」として付されていた。その主語は「朕《ちん》」である。

「朕は、日本国民の総意に基いて、新日本建設の礎が、定まるに至つたことを、深くよろこび、枢密顧問の諮詢《しじゅん》及び帝国憲法第七十三条による帝国議会の議決を経た帝国憲法の改正を裁可し、ここにこれを公布せしめる。」

憲法の改正を裁可し、公布したのは天皇陛下である。だが、当の憲法前文を読むと、その憲法を制定したのは日本国民だと書いてある。

「日本国民は……ここに主権が国民に存することを宣言し、この憲法を確定する。」

これを背理とか没論理と言ってはならない。憲法というのはそもそも「そういうもの」なのである。

憲法前文が起草された時点で憲法の制定主体となりうるような「日本国民」は存在しなかった。いなくて当然である。憲法施行の前日まで日本人は「大日本帝国臣民」だったからである。憲法を確定するほどの政治的実力を有した「日本国民」なるものは、権利上も事実上も、憲法施行時点では日本のどこにも存在しなかった。

もちろんＧＨＱと憲法草案について交渉をした日本人はいた。９条２項を提案したのが幣原喜重郎《しではらきじゅうろう》だったというのもおそらくは歴史的事実なのであろう。けれども、そのことと「日本国民は……この憲法を確定する」という条文の間には千里の径庭《けいてい》がある。

憲法の制定主体は憲法内部的に明文的に規定されない。現に、憲法の裁可主体が「朕」であり、大日本帝国議会が憲法改正を議決したという事実は日本国憲法の本文のどこにも書かれていない。同じように、憲法を制定したのは日本国民であるはずなのだが、日本国民が何者であるかについては憲法内部には規定が存在しない（10条に「法律で定める」としてあるだけだ）。でも、もう一度言うが、憲法というのは「そういうもの」なのだ。

憲法の事実上の制定主体は、いかなる合法的根拠もなしに憲法を強制できるほどの圧倒的な政治的実力を有しているものでなければならない。

憲法を制定するのは超憲法的主体である。

ふつうは戦争か革命かあるいはそれに準じる壊乱的事態を収拾した政治主体がその任を担う。日本国憲法の場合はダグラス・マッカーサーである。

米国務長官ジョン・フォスター・ダレスは１９５６年に、日米安保体制とは「アメリカが、日本国内の好きな場所に、必要な規模で、いつでも、そして必要な期間基地を置くことができる」ことだと語った。これは「アメリカは超憲法的存在だ」ということを軍事用語に言い換えたものである。この言明は今に至るまで撤回されていない。

私たち日本国民は過去に一度も憲法制定の主体であったことはない。だから、私たちが「自分たちがこの国の主権者である」という実感を持つことができないのは当然のことなのである。社会科の教科書には「主権在民」と書かれているけれど、ほんとうの主権者は太平洋の向こうにいるということを私たちはみな知っている。

国に主権がないのに国民が主権者でありうるわけがない。

けれども、日本がいつかアメリカから国家主権を奪還する日が来る、日本国民がいつか晴れて日本の主権者になれる日が来る、ということについて戦後日本人は漠然とした期待だけは抱き続けていた。それが「対米従属を通じての対米自立」という国家戦略の歴史的意味である。

対米従属は敗戦国にとってはそれ以外に選択肢のない必至の選択であったし、十分に合理的なものであった。ソ連の属国になるよりはアメリカの属国になる方が「まだまし」だという判断は合理的である。9条2項を丸呑みして、その代わり天皇制を残すという判断も、おそらくはそれ以外に解のなかった苦肉の策である。だから、戦争に負けた後に、対米従属を選んだという当時の日本人の判断に私は特に異を唱える気はない。私がその時代にいたら、たぶん「それしかないだろう」と考えたはずである。

「金儲け」と「対米従属」だけに特化してきた国

ともあれ、そのおかげで日本は１９５１年のサンフランシスコ講和条約で国際法上の主権を回復し、１９７２年には沖縄施政権を回復した。これはまさに対米従属の「成果」と呼ぶべきものである。このペースでこのまま主権回復と国土回復が続けば日本から米軍基地がなくなり、主権を回復する日がいずれ来る、日本人はそう希望することができた。１９７５年にアメリカがベトナム戦争で負けた時にも私は「これから米軍基地は段階的に縮小してゆき、いずれなくなるだろう」と無根拠に信じていた。

そうこうしているうちに高度成長期が到来した。そして、60年代からビジネスマンたちの異常な働きぶりをドライブしていたのは「経済戦争でアメリカに勝つ」という途方もない夢だったけれど、それがいきなり現実味を帯びてきた。「エコノミックアニマル」と国際社会では蔑まれたが、その時の日本人はある種の多幸感に浸っていた。あれは「このまま豊かになれば、そのうち国家主権をアメリカから金で買い戻せるかも知れない」という夢が敗戦国民の脳裏に一瞬浮かんだからである。バブル当時に「今の日本の地価を合計すると、アメリカが二つ買える」という言い方がよくなされた。それを口にする時のビジネスマンたちの満足げな顔を私は今でも覚えている。「お前たちが沖縄に居座りたいなら、そうすりゃいいさ。だがな、その代わりオレたちはニューヨークでもサンフランシスコでも、欲しいだけの土地を買って、そこに日の丸を立ててやるぜ」という口には出されない欲望を当時の日本人は心に飼っていた。しかし、バブル崩壊でその夢は儚《はかな》くも潰えた。

その次に小泉純一郎が登場して、政治大国になってアメリカから主権を回復するという夢を見させてくれた。しかし、「アジアで地政学的な存在感を増して、その外交的実力を背景にアメリカに国家主権を認めさせる」という小泉のプランは２００５年の国連常任理事国入りの失敗によって消えた。この時、日本の常任理事国入りの共同提案国になってくれたアジアの国はブータン、アフガニスタン、モルジブの三か国のみだった。中国も韓国もＡＳＥＡＮ諸国も日本の政治大国化に反対した。日本が常任理事国になってもそれは「アメリカの票が一つ増えるだけ」という海外からの指摘に日本の外交当局は反論できなかった。「日本がアメリカの忠実な属国であるのは、アメリカからの全幅の信頼を勝ち得ることによってアメリカからの自立を果たし、アメリカとは違う外交的ふるまいをするためなのだ」という日本人以外にはおそらく理解不能の国家戦略をアジアの隣国に説明する努力を日本人が久しく怠ってきた。そのことの「つけ」をこの時に払うことになったのである。

経済大国化の夢も、政治大国化の夢も消えた以上、もう打つ手がない。指南力のある未来像を提示して国際社会を牽引するとか、文化的発信力で世界を領導するなどという大仕事を戦後ずっと「金儲け」と「対米従属」だけに特化してきた国にできるはずがない。

だから、２００５年時点で「対米従属を通じての対米自立」という戦後60年間続いた国家戦略は事実上終焉したのである。そして、それからあとは「対米自立抜きの対米従属」という国家の漂流と政治的退廃が日本を覆うことになった。

２０１２年のアーミテージ・ナイ報告書は「日本は一流国家であり続けたいのか、それとも二流国家に成り下がって構わないのか？　日本の国民と政府が二流のステータスに甘んじるなら、この報告書は不要であろう」という恫喝から始まる。日本政府はこの恫喝に縮み上がって「一流国でありたいです」と答えて、報告書のすべての要求に応じた（原発再稼働、ＴＰＰ交渉参加、掃海艇ホルムズ海峡派遣、特定秘密保護法の立法、ＰＫＯの法的権限の拡大、集団的自衛権の行使容認、武器輸出の解禁などなど）。「一流国でありたければ、言うことを聞け」というような剥き出しの恫喝に叩頭《こうとう》する国を他国は決して「一流国」とも「主権国家」とも見なさないだろうということが頭に浮かばないほどに日本人はいつの間にか「従属慣れ」してしまっていたのである。

この急激な「腰砕け」は一つには世代交代のせいだと私は思っている。１９８０年代まで、政官財の主要なプレイヤーは戦前生まれであり、「日本が主権国家であった時代」を記憶していた。彼らが生まれた時に祖国は主権国家であった。そして、自国の運命にかかわる政策を（それが亡国的なものであってさえ）他国の許諾を求めることなく自己決定することができた。それが「ふつうの国」であり、敗戦国日本はそこに回帰すべきだという「帰巣本能」のようなものをこの世代までの人々は持っていた。

21世紀の対米従属の理由は国益を最大化すること

けれども、21世紀に入ってしばらくすると「主権国家の国民であった記憶」を持った人たちが政官財の要路にいなくなった。今の日本の指導層を形成するのは「主権を知らない子どもたち」である。この世代（私もそこに含まれる）にとって「アメリカの属国民であること」は自明の歴史的与件であり、それ以外の国のかたちがありうるということ自体、もううまく想像することができなくなっている。

敗戦国が戦勝国の属国になるというのは歴史上珍しいことではない。敗戦国がそのあと主権を回復することも同じく珍しいことではない。それができたのは、「われわれは属国という屈辱的な状況のうちにある。いつの日か主権を奪還しなければならない」という臥薪嘗胆《がしんしょうたん》・捲土重来《けんどちょうらい》という気概を人々が長期的に保持していたからである。

現代日本の危機はその気概そのものが失われたことにある。

今わが国の要路にある人々はおしなべて対米従属技術に長けた「対米従属テクノクラート」たちである。彼らはアメリカの大学で学位を取り、アメリカに知友を持ち、アメリカの内情に通じ、アメリカ政府や財界の意向をいち早く忖度《そんたく》できる。そういう人たちがわが政官財学術メディアの指導層を形成している。彼らは「対米従属」技術を洗練させることでそのキャリア形成を果たしてきた。そして、21世紀のはじめに「対米従属は対米自立のための戦術的迂回である」ということを腹に収めていた世代が退場した後、次世代のエリートたちは自分たちが何のために対米従属技術を磨いてきたのか、その理由がわからなくなった。

もちろん彼らが対米従属技術に熟達したのはたかだか個人的な「出世」のために過ぎなかった。だから、「対米自立」という大義名分が失われた時、彼らは対米従属を正当化する別の理由を探した。そして、彼らが見つけたのは「対米従属こそが日本の国益を最大化する道だ」という新しい大義名分であった。

日本が対米従属するのはもういつか対米自立を果たすためではない。日本はすでに対米自立を果たしており、堂々たる主権国家であり、国際社会から政治大国として尊敬されており、文化大国として憧れの対象である。日本とアメリカとの関係はイーブン・パートナーとしてのそれであり、日本がまるでアメリカの要求にことごとく従っているように見えるのは、そうすることが日本の国益を最大化することだからだ、というのが21世紀に入って日本の指導層が採択した対米従属の新しい理由づけである。

この対米従属の新たな合理化のロジックは、自民党が２０１２年に発表した改憲草案の行間からもにじみ出している。

現行憲法は前文に、日本国民は「平和を維持し、専制と隷従、圧迫と偏狭を地上から永遠に除去しようと努めてゐる国際社会において、名誉ある地位を占めたいと思ふ」という願望が記されている。ところが、自民党改憲草案にはもう「願望」は書かれていない。国際社会についての言及はわずかに「我が国は、先の大戦による荒廃や幾多の大災害を乗り越えて発展し、今や国際社会において重要な地位を占めており、平和主義の下、諸外国との友好関係を増進し、世界の平和と繁栄に貢献する」という箇所だけである。これを読むと、わが国が「国際社会において重要な地位を占めている」ことはもう既成事実となっている。すでに「重要な地位」を占めている以上、上を目指すさらなる努力の余地はないということである。

だが、「対米従属テクノクラート」たちのこの信憑《しんぴょう》を揺るがすものたちがいる。それは「アメリカから国家主権を奪還したい」という素朴な願いを今も持ち続けている人たちである。この「素朴な」人々は日本の国益とアメリカの国益は時に相反することを現実的経験として知っており、その場合には日本の国益を優先させるべきだと思っている。この人々の「常識」が開示されることを対米従属テクノクラートたちは何よりも恐れている。それゆえ、「日本はすでに主権国家であるので、主権奪還を願うというのは無意味かつ有害なことである」というイデオロギーを国民に刷り込むことが対米従属テクノクラートにとっての急務となるのである。

先に書いたとおり、私たちは「日本には国家主権がないこと」を知っている。それは「日本国民は主権者ではない」ということを意味する。むろん国家主権がないがゆえに私たちは主権の回復を願っているわけだけれど、極右の政治思想はそこを痛撃してくるのである。「主権の回復を願うお前たちは権利上何ものなのだ？」と。

お前たちは主権者ではないし、かつて主権者であったこともない。アメリカによって「主権者」と指名されただけの空疎な観念に過ぎない。お前たちがいつ憲法制定の主体となるほどの政治的実力を持ったことがあるか？

こう言い立てられると、私たちはたじろいでしまう。まさにその通りだからである。

彼らはこう続ける。お前たちはその実状にふさわしい地位と名を与えられなくてはならない。それは「非主権者」である。だから、これから憲法を改定し、基本的人権を廃し、日本国民は日本国の主権者ではないという現実を明文化する。

極右の「廃憲」論は約《つづ》めて言えばそういうものである。空疎な理念を捨てて痛苦な現実を受け入れろと彼らは命じているのである。曲芸的な理路なのだが、なぜか妙な説得力がある。もちろん「日本の国益とアメリカの国益は完全に一致している」という命題そのものが偽なので、論理は土台から崩壊しているのだが、それでも「お前たちは主権者ではないのだからその無権力にふさわしい従属状態を甘受せよ」という決めつけには尋常ならざるリアリティーがある。

というのも、それはまさに対米従属テクノクラートたちがアメリカとのフロントラインで日々聞かされている言葉だからである。「お前たちは属国民だ。その地位にふさわしい従属状態を甘受せよ」と。それを言われると彼らも深く傷つくのだ。でも、ほんとうのことなので反論できない。そのフラストレーションを解消するために、対米従属テクノクラートたちは彼ら自身を傷つける言葉をそのままに日本国民にぶつけているのである。

日本人が国家主権の回復をめざす対米自立の道をもう一度たどり直すまで、この自傷行為は続くだろう。病は深い。

（「内田樹の研究室」２０１７年6月11日）

「語り継ぐこの国のかたち」

戦争という「リアルな欠如」

『語り継ぐこの国のかたち』は半藤一利さんが最晩年に書かれたものを集成した論集である。

私自身は半藤さんにお会いしたことがない。書かれたものはずいぶん読んだけれど、ついに尊顔を拝する機会を得ないままに半藤さんは鬼籍に入られた。得難い方を失ったと思う。

半藤さんのように東京大空襲を経験し、玉音放送を聴き、編集者となってから旧軍の人たちのオーラルヒストリーを聴き集めたというような希有な体験を持つ方が一人ずついなくなってゆく。そして、戦争を直接経験として有している世代が一人消えるごとに、戦争についての記憶がかすみ、あるいは歪められ、改竄《かいざん》され、上書きされる。戦争について語る言葉は時間とともに不可逆的に観念的でかつ軽いものになってゆく。そのことを半藤さんは亡くなられる前に強く危惧しておられたと思う。その思いは本書の行間ににじんでいる。

私は１９５０年の東京生まれである。戦後すでに５年経っていたが、幼い頃にはあちこちに戦争の痕跡が残っていた。１９５６年にこの本で半藤さんが書いているように「もはや戦後ではない」という言葉を人々が誇らしげに口にし始めた頃には、焼け跡も防空壕も生活圏では目につかなくなった。この「もはや戦後ではない」には「だから、もう戦争の話は止めよう」という遂行的なメッセージも同時に含意されていたと思う。それまで「戦争」はある意味では日常的でひどく身近なものだったからだ。

家の近所に「あーや」と呼ばれる老婆がいた。子ども好きの親切な人だったが空襲で片腕を失っていた。

母親にものをねだるといつも「うちは貧乏だからダメだ」と一蹴された。「どうして貧乏なの？」と訊ねると「戦争で負けたから」と判で捺したような答えが返ってきた。

仲良しだったしげおちゃんの父親は元憲兵下士官で、休日に昼酒を飲み目が据わってくると、中国人を日本刀で斬った話をした。

私の「樹」という名前は『教育勅語』の「朕惟フニ我カ皇祖皇宗國ヲ肇ムルコト宏遠ニ徳ヲ樹ツルコト深厚ナリ」から採ったものだが、名づけ親の松井さんは父の親友で、陸軍中野学校を出た職業軍人だった。痩身白皙《はくせき》の人だったが、私は後にも先にも「虚無的」という形容詞があれほど似合う人を見たことがない。

父が家で同僚たちと酌み交わしているときに、ときどき戦争中の話になることがあった。その時に父が「負けてよかったじゃないか」とつぶやくように言ったのを聴いた覚えがある。その言葉が出るとみんなしばらくしんと黙って、そして違う話題に移った。

小学校の担任の手嶋先生は快活で優しい男の先生だった。私はいつも先生にまとわりついていた。あるとき「先生は戦争に行ったの？」と訊いたことがある。先生はちょっとこわばった表情で「ああ」と答えた。「先生、人を殺したことある？」と重ねて訊くと、先生は蒼白になって黙り込んでしまった。

戦争は私の世代にとっては「現にそこにあるもの」ではなかった。そうではなく、むしろ「何かの欠如」だった。「欠如」していたのは、老婆の片腕であり、わが家産であり、青年の覇気であり、戦争の記憶だった。私たちの世代にとって、戦争の経験とは「何かが欠如している感じ」のことだった。それは現実にそこにあるものと同じくらいにリアルで、タンジブルな欠如だった。

私たちの前には多くの戦争経験者がいた。大陸や半島で植民地支配に加担した人たちがいた（母方の祖父がそうだった）。特高の拷問を受けた人がいた（岳父がそうだった）。どこかで深い心理的な傷を負い、そのせいである時期の出来事についてはうまく語ることができなくなっている人間がいた。

この「欠如」は目の前にいる私たちにとってはリアルなものだった。「リアルな欠如」というものがありうるのだ。けれども、それに向き合ったことがないという人たちにその消息を言葉で伝えることは難しい。きわめて難しい。それは目の前にいる人がふいに「押し黙る」とか「蒼ざめる」という欠性的な仕方で雄弁だったのであり、その生身の身体が目の前からいなくなるとリアリティーを失う。

過去の失敗を学び「二度目の敗戦」を避ける

１９８０年代から戦争経験者たちが社会の第一線から消え始めた。それまで彼らの沈黙はある種の「重石《おもし》」として効いていたのだと思う。戦場で、占領地や植民地で、あるいは銃後の日本で、しばしば「口にできないほど忌まわしいこと」があったことは、彼らがことさらに言挙げしなくても、私たちには伝わった。けれども、それを現認していた人たちが死に始めると同時にその「重石」が効かなくなった。そして、「あのときほんとうにあったこと」について、その場にいなかったはずの年齢の人たちがとくとくとしゃべり出した。

歴史修正主義者が登場してきたのは、日本でもヨーロッパでも１９８０年代に入ってからである。まるで戦争経験者が死に始めるのを見計らったように、戦争について「見て来たような」話をする人間たちがぞろぞろと出てきたのである。

歴史修正主義は経験者たちの集団的な沈黙の帰結である。どこの国でも、「口にできないほど忌まわしいこと」は口にされない。けれども、それを個人的記憶として抱え込んでいる人が生きているうちは、「口にされないけれど、ひどく忌まわしい何か」がそこにあったことについては暗黙の社会的合意が存在した。ただし、それには期間限定的な効果しかない。「墓場まで持ってゆく記憶」を抱えていた人が死ぬと同時に記憶も消える。そして、やがて「なかったこと」になる。それはドイツでも、フランスでも、日本でも変わらない。

だからこそ半藤さんの「歴史探偵」の仕事が必要だったのだと思う。半藤さんは戦争経験者たちが言挙げしないまま墓場まで持ってゆくつもりだった記憶の貴重な断片を取り出して、記録することを個人的なミッションとしていた。

私は半藤さんの『ノモンハンの夏』と『日本のいちばん長い日』をこのタイプのドキュメンタリーとしては際立ってすぐれたものだと思っている。「すぐれたもの」というような査定的な形容をするのは失礼で、むしろ「ありがたいもの」と言うべきだろう。

半藤さんがこれらの書物を書き上げるために、どれほどの時間と手間を注いだのか、それを考えると、たしかに私たちは「ありがたい」と首を垂れる以外にない。

知られているように、『日本のいちばん長い日』は最初「大宅壮一編」として出版された。詳しい事情はわからないけれど、半藤さんが「他人の名前で出しても構わない」と思い切れたのは、重要なのは半藤一利の文名を上げることではなくて、ここに採録された歴史的事実をできるだけ多くの日本人に知ってもらうことだと思ったからだろう。常人にできることではない。

本書で半藤さんは私たちにいくつかの歴史資料を紹介し、あるいは何人かの忘れがたい人（陸奥宗光や石橋湛山や司馬遼太郎や小泉信三）の風貌を伝えている。その記述は体系的なものではない。思いつくままに、思い出すままに書いているように見える。でも、半藤さんはここで決して単なるトリヴィアルな逸話を並べているわけではないと思う。これらの書き物のすべてに伏流するのは、半藤さんが自分の眼で見て、自分の耳で聴いたことを、自分ひとりの経験で終わらせることなく、自分の死とともに忘却されることに抗って、後続世代に手渡したいというつよい願いである。それは半藤さんに先行する世代の人たちが、「自分たちが見聞きしたこと」を語らぬままに、伝えぬままに死んでいったことが現代日本の政治的危機をもたらしたという痛苦な反省をふまえているのだと思う。

半藤さんは明治維新以来、四十年ごとのサイクルで国運の向上と転落が繰り返されているという（司馬遼太郎が『この国のかたち』で立てた仮説）を受け継いで、日露戦争の勝利にのぼせ上ってから悲惨な敗戦に至るまでの40年の「転落」局面が、1992年のバブル崩壊から40年、もう一度繰り返されるのではないかという見通しを語っている。

「国家に目標がなく、国民に機軸が失われつつある現在のままでは、また滅びの四十年を迎えることになる。次の世代のために、それをわたくしは心から憂えます。」（35頁）

半藤さんの計算が正しければ、次の「敗戦」まであと10年ほどしか残されていない。つまり、いまの日本は1930年代半ばの、滝川事件や國體明徴《こくたいめいちょう》運動で、言論や学術の領域から「もの言えぬ」空気が浸潤してくる時期と符合するということになる。

「あとがき」でも半藤さんは「日本のトップにある人」たちが、「戦後七十年余、営々として築いてきた議会制民主主義そして平和を希求する国民の願いをなきものにしようとしている」ことに懸念を示している（303頁）。

10年後に迫った「二度目の敗戦」を避けるためには、私たちは過去の失敗を学ぶしかない。「過去の失敗に学べ。歴史から学ばないものに未来はない」という半藤さんの「遺言」を私たちは重く受け止めなければならない。

（2021年6月、半藤一利『語り継ぐこの国のかたち』大和書房、解説）

第2章

政治

道徳的「インテグリティ」の欠如

愛国的リバタリアンという怪物

垂れ流しされている「弱者叩き」

2016年の相模原障害者施設殺傷事件のもたらした最大の衝撃は、容疑者の植松聖《さとし》が事前に安倍晋三首相宛てと大島理森衆院議長宛てに犯行を予告する内容の書簡を書いていたことにある。

それは単に権力者を挑発するための犯行予告ではなく、自分の行為が政権と国会多数派には「好ましい」ものとして受け止められ、権力からの同意と保護を得られるだろうという期待をこめて書かれたものだった。逮捕後も容疑者は「権力者に守られているので、自分は死刑にはならない」という趣旨の発言をしている。

もちろん、これは彼の脳内妄想に過ぎない。けれども、何の現実的根拠もない妄想ではない。彼の妄想形成を強化するような現実が今の日本社会内部にはたしかに存在しているからである。

アナウンサーの長谷川豊氏は事件の直後の２０１６年９月に自身のブログに「自業自得の人工透析患者なんて、全員実費負担にさせよ！　無理だと泣くならそのまま殺せ！　今のシステムは日本を亡ぼすだけだ!!」というタイトルの記事を投稿した。これには批判が殺到し、専門医からも事実誤認が指摘されたが、この人物を日本維新の会は千葉一区から衆院の立候補者として擁立するということが後日発表された。

重篤な病人や障害者に対する公然たる差別発言にはまだ一定の社会的な規制が働いており、有名人の場合には、それなりの社会的制裁が科されているが、在日コリアン、生活保護受給者やＬＧＢＴなどの社会的弱者に対する差別や攻撃の発言はほとんど何のペナルティもないままに垂れ流しされている。

アメリカではドナルド・トランプ前大統領が「弱者叩き」の代表格である。「ラストベルト」のプア・ホワイトたちの輿望《よぼう》を担って登場したはずのトランプだが、就任後実施された政策は富裕層への厚遇措置ばかりで、移民排斥や、海外企業の国内移転への圧力などの「雇用対策」は今ここにいる社会的弱者のためには何の利益ももたらしてはいない。選挙公約だったオバマケアの廃止は、それによって2400万人が医療保険を失うという予測が公表されて、さすがに与党共和党も加担できず、改廃法案を撤回するという騒ぎになった。アメリカの有権者はそのような人物を大統領に選んだのである。

これはおそらく全世界的な傾向である。社会的弱者たちは、自己責任で弱者になったわけであり、いわばそういう生き方を選択したのだから、政府や自治体が、公金を投じて彼らを支援することは「フェアではない」というロジックは目新しいものではない。これは「リバタリアニズム（libertarianism）」というかたちで、建国当初からつねにアメリカ社会に伏流していた考え方である。アメリカが世界に冠絶する覇権国家となり、その国の作法や価値観が「グローバル化」したことによって、アメリカ的な「リバタリアニズム」もまたグローバル化した。

リバタリアンは、人間は自分の運命の完全な支配者であり、他者であれ公共機関であれ、いかなるものも自分の運命に介入する権利はないと考える。だから、リバタリアンは政府による徴税にも、徴兵制にも反対するし、社会福祉のための原資の提供にも反対する。

ドナルド・トランプが徴税と社会福祉制度につよい嫌悪感を示すのは、彼がリバタリアンの伝統に連なっていることを示している。トランプは選挙期間中に対立候補から連邦所得税を納めていないことを指摘されて、「すべてのアメリカ人は納税額を最小化するために日々知恵を絞っている。私が連邦税を払っていないのは私が賢いからである」と述べて支持者の喝采を浴びた。これは別に偽悪的な発言をしたわけではなく、ほんとうにそう思っているからそう言ったのである。彼に喝采を送ったプア・ホワイトたちは、自分たちとは桁が違う大富豪であるトランプの「納税したくない」というリバタリアン気質が「自分と同じだ」と思って、その発言に賛意を表したのである。

トランプは軍務の経験も、行政の経験もない初めての大統領だが、それは軍務に就くことも、公共機関で働くことも、どちらもリバタリアンとしては「やらないに越したことはない」仕事だからである。アメリカの有権者たちは彼の「公的権力を用いて私利私欲を満たすが、公益のためには何もしない」という態度がたいそう気に入ったのである。

今の日本で起きている「弱者叩き」はアメリカ原産のリバタリアニズムが日本に漂着し、日本独特の陰湿なしかたで退廃したものだと私は理解している。

跋扈する奇妙な「リバタリアンでありながら、かつ愛国的」

トランプのリバタリアニズムはこう言ってよければ「あっけらかん」としている。ロシアとの内通疑惑が暴かれたことによって、彼が「愛国者」であるかどうかについてはアメリカ人の多くが疑問を抱いているだろう。けれども、リバタリアンにおいて、愛国者であることは「アメリカ人的であること」のための必要条件ではない（国家や政府などというものは「ない方がいい」というのが正統的なリバタリアンの立場だからである）。

けれども、日本では公的立場にある人間はさすがに「国よりも自分が大事」というようなことを（心で思っていても）口には出さない。仮に、安倍晋三が所得税を払っていなかったことが発覚したとしても、彼は「私は賢いから税金を払わずに済ませた」という言い訳をしないだろうし、その言い訳に喝采を送る有権者も日本にはいないはずである。日本ではリバタリアンも愛国的なポーズをすることを強いられる。

だから、日本では「リバタリアンでありながら、かつ愛国的」という奇妙な生き物が生まれてくる。現代日本に跋扈しているのは、この「愛国的リバタリアン」という（「肉好きのベジタリアン」とか「気前のいい吝嗇漢《りんしょくかん》」というような）形容矛盾的存在である。

一方、彼らは自分が獲得したものはすべて「自己努力によって獲得されたもの」だから、100%自分の所有に属し、誰とも分かち合う気がない。同じ理屈で、貧困や疾病や障害や不運などによって社会的弱者になった者たちについても「すべて自己責任で失ったもの」であるので、そのための支援を公的機関に求めるのは筋違いであると主張する。

ここまではリバタリアン的主張であるが、日本の「愛国的リバタリアン」はこれに愛国主義（というより排外主義、外国人嫌い）をぱらぱらとまぶして、社会的弱者とは実は「外国人」であるという奇妙な社会理論を創り出す。

ここが日本のリバタリアニズムの独特の歪みである。

日本型リバタリアンによると、社会的弱者やあるいは社会的弱者を支援する人たちは「外国人」なのである。仮に血統的には日本人であったにせよ、外国渡来のイデオロギーや理説に「感染」したせいで、「外側は日本人だが、中身は外国人」になっているのである。だから、社会福祉や教育や医療などの活動に公的な支援を求める組織や運動は本質的には「日本の国益よりも、彼らが忠誠を誓っている外国の利益に奉仕するもの」なのだという妄説が出来上がる。生活保護の受給者は多くが在日コリアンであるとか、日教組の背後にはコミンテルンがいるとか、朝日新聞は反日であるとか、翁長雄志《おながたけし》沖縄県知事は中国に操られているといった類のネトウヨ的妄説はその典型的なものである。

語っている本人もさすがにほんとうだと思ってそう言っているわけではないだろう。にもかかわらず、彼らが「反政府的な人間＝外国人」というスキームに固執するのは彼らにリバタリアンに徹する覚悟がないからである。

リバタリアンであれば、話はすっきりしている。貧乏なのも、病気なのも、障害者であるのも、すべては自己責任である。だから、それについては他者からの同情や公的支援を当てにしてはならない。医療保険制度はいらない（医療は「サービス」なのだから金を出して買え。金がないやつは死ね）。公立学校もいらない（教育は「サービス」なのだから、金を出して買え。金がないやつは働いて学費を稼ぐか、有利子で借りろ）。社会福祉制度はいらない（他人の施しがないと生きていけないやつは死ね）と、ずいぶん非人情ではあるけれど、バケツの底が抜けたように「あっけらかん」としている。

しかし、さすがに日本では（心ではそう思っていても）そこまでは言い切れない。居酒屋のカウンターで酔余の勢いで口走ることはあるだろうが、公的な立場ではなかなか口にはされない。その不徹底をとりつくろうために、日本的リバタリアンは「排外主義」的イデオロギーを装飾的に身にまとう。そして、貧乏人も、病人も、障害者も、生活保護受給者も、みな本質的には「外国人」であるという摩訶不思議《まかふしぎ》な理説を噛ませることで、話のつじつまを合わせようとするのである。

相模原事件の植松容疑者はその意味では障害者支援をめぐる問題の本質をよく見抜いていたというべきだろうと思う。彼自身は生活保護の受給者であったが、その事実は「わずかな賃金を得るために、他人に顎で使われて、自分の貴重な人生を空費したくない」という彼のリバタリアン的な気質と齟齬《そご》するものではなかった。けれども、自分以外の生活保護受給者や障害者は、彼の目には、許し難い社会的寄生者に見えた。

この矛盾を彼はどう解決したのか。

自分には公的支援を受けることを許すが、他人には許さないという身勝手な識別を可能にする境界線として最終的に彼が思いついたのは「私は日本人だが、彼らは日本のフルメンバーではない」という「日本人／非日本人」スキームであった。

だから、植松がこれは「日本のために」したのだとか、「社会が賛同するはずだった」とかいう自己弁明を繰り返し、「国益を害するものたち」を「処分」する「官許」を首相や衆院議長に申請したことには論理的には必然性があったのである。彼は自分が「愛国的リバタリアン」という政治的奇形物であり、現在の日本の政界の指導者たちの多くが程度の差はあれ自分の「同類」だと直感していたのである。

（「内田樹の研究室」２０１８年８月４日）

政治指導者の資質とは

安倍政権の功罪について、私から指摘したいのは一つだけにしておく。それは「道徳的インテグリティ（廉直、誠実、高潔）」の欠如ということである。

政治指導者は道徳的なインテグリティを具《そな》えているべきだと私は思っている。少なくとも、そのような人間であると国民に信じ込ませる努力をするべきだと思っている。

だが、私たちは今はもう政治家であれ、官僚であれ、財界人であれ、わが国の指導者たちが「国民全体の福利」をめざして行動しているということを信じていない。彼らは自分の仲間、手下、支持者、縁故者、そしてもちろん自分自身の利益のためにその権力を活発に行使するが、全体の利益のためには行使する気がない。そのことを私たちはもう受け入れている。

「権力をもっぱら自己利益のために使うことができるということが、『権力を持っている』

ということである」というシニカルな同語反復を人々は「リアリズム」と呼んでいる。

たしかにこの信憑は真実の一端を衝いてはいる。というのは、どれほど権力があっても、合理的な根拠に基づいて、適法的に判断を下す政治指導者は国民からは畏怖されないからである。そのような指導者は尊敬され、信頼され、愛されることはあっても、恐怖の対象にはならない。私たちが畏れ、顔色を窺い、その内心を忖度《そんたく》するのは、あいまいな根拠に基づいて、首尾一貫性のない政策を、法律を無視して実行する政治指導者である。合理性も首尾一貫性も適法性も意に介さない態度を私たちは「強さ」と解釈するのである。つねに正直であることよりは嘘を織り交ぜる人間の方が、つねに論理的であるよりはしばしば没論理的である人間の方が、次の行動が予見可能である人間であるよりは何を考えているかわからない人間であることの方が、より大きな権力をふるうことができるという経験知を、この数年の間に統治者たちはどこかで身に付けたのである。

「勝ったものは正しかったから勝ったのだ。多数を制した党派は真理を語ったので多数を制したのだ」という現実肯定のことを現代人はいま気の利いた世間知だと思い込んでいる。実際に私が国政について発言をすると「じゃあ、あなた自身が国会議員になって、自分で国政に関与すればいいじゃないか。それができないなら黙っていろ」というタイプの

「批判」がくる。

「権力批判は自分自身が権力者になってからしろ」というのは言い換えると「現在のシステムを肯定して、そのルールに従ってキャリア形成を遂げるまでシステム批判をしてはならない」ということである。「現状批判したければ現状肯定しろ」という悪魔的なロジックを彼らは弄《もてあそ》んでいるわけだけれど、それがまったく没論理的なものであるということにいまの日本の若者たちは気づいていない。

私の友人のYouTuberがあるYouTuberを批判したら、「そういうことは再生回数が同じになってから言え」という「批判」があったそうである。ビジネスマンについて批判しても「そういうことは同じくらい稼いでから言え」という「批判」がくる。それが人を黙らせる切れ味の良い利器だということをみんな知っているのである。

いま日本社会に瀰漫《びまん》しているのは、この「権力者を批判する権利は権力者にしかない」という思考停止である。

それは「現実的対案を出せない野党には存在理由がない」という言い方を野党政治家自身が気弱に口にするようになったことからも知れる。与党と同じようなロジックに従い、同じような語彙を駆使して、同じような政治的効果をめざす政治勢力だけが「現実的」であるというのは、ただの事大主義である。「長いものには巻かれろ」「寄らば大樹の陰」という手垢のついたみすぼらしい処世訓の焼き直しである。日本人はそんなことさえもうわからなくなってしまっている。

世界23の国と地域の人々に、コロナ対策に際して自国指導者の評価を求めたアンケートが行われた時、日本政府の対応を「高く評価した」人は日本国民の5％にとどまった。世界平均は40％。中国は86％、ベトナムは82％、ニュージーランドが67％。死者数世界最多の米国でさえトランプを「高く評価する」国民は32％いた。

当時、内閣支持率が30％ありながら、感染症対策を評価する国民が5％にとどまったのは、「私たちのために何もしてくれない政治家だからこそ支持する」「利己的にしかふるまわない権力者だから畏れ、服従する」という倒錯的な「リアリズム」がそれだけ深く私たちの社会を侵していたことを表わしている。

日本人はこの病的な現状肯定から逃れることができるだろうか。私にはわからない。でも、合理的で、適法的で、予測可能なしかたでふるまう指導者を「信頼し、尊敬する」という政治文化をもう一度構築しない限り、日本の没落は止まらないだろう。

（「内田樹の研究室」２０２０年8月14日）

独裁者とイエスマン

貧乏になるにつれ希薄になった政治意識

「統治コストを最小化したい」というのは統治者からすれば当然のことである。だからその動機を私は（まったく賛成しないが）理解はできる。けれども、統治コストの最小化を優先すると長期的には国力は深く損なわれる。そのことは統治者も知っておいて欲しい。

統治コストと国の復元力はゼロサムの関係にある。

わかりにくい命題だし、こんなことを言う人間は見回しても私以外にあまりいないので、ていねいに説明したい。

統治コストを最小化しようとすれば国力は衰える。国力が向上すると統治コストがかさむ。

どうしてそんなことになるのか。別に難しい話ではない。考えれば当たり前のことなのである。

統治者は国力を向上させようと望む時はとりあえず手綱を緩めて、国民に好きなことをさせる。市民たちが自由を謳歌し過ぎて中枢的な統制がとれなくなったら経済発展や文化的創造を犠牲にしても、国民たちを締め上げる。

飴と鞭の使い分けである。そういうさじ加減は、『韓非子』以来、統治者がずっと考えてきたことであって、すぐれた統治者はこの緩急のつけ方が巧みであった。

日本の場合、戦後、特に１９６０～70年代の高度成長期は、統治者が国民に気前よく自由を譲り渡した時期である。「一億総中流」はそれによって実現した。おかげで私は10代、20代をまことに気楽な環境の中で過ごすことができた。このことを私は今も深く感謝している。

けれども、その時期は同時に市民運動、労働運動、学生運動の絶頂期であった。革新自治体が日本全土に生まれ、最盛期は４５００万人の日本人が革新自治体の住民だった。この時期にはあきらかに中央政府のグリップは緩んでいた。事実、60年代末から70年にかけて日本全国の多くの大学は学園紛争でほとんど無法状態にあった。しかし、忘れてはいけないことは、まさにその時期の日本の経済成長率が10%を超えていたということである。学生たちが「アメリカ帝国主義を倒せ」とシュプレヒコールをあげていた時に、日本の資本主義は商売繁昌で高笑いしていたのである。

この二つの現象の間に相関関係があると言う人がいることを私は知らないが、私はこの二つの事象の間にはいくらかの相関関係があると思う。というのは、学生たちがあれほど好き勝手に行動できたのは、けっこう「金があった」からである。

私が大学に入学した１９７０年、国立大学の授業料は月額１０００円であった。大学生のバイトは安いところで時給２００円、高いところで５００円が相場だった。私は時給５００円という実入りの良い学習塾のバイトをしていた。２時間働くと月の授業料が払えた。だから仲間内には「苦学生」がたくさんいた。私もその一人だったけれど、親に頼らず、自分で授業料を払い、家賃を払い、本を買い、服を買い、デートをしていた。

当然過激派学生たちも闘争のあいまにはバイトをしていた。経済成長のさなかであるから、どこも「猫の手も借りたい」ほど人手を欲しがっていた。政治思想なんかどうでもいい。定められたジョブを手際よくこなしてくれるなら、別に政治思想なんか何でもいいという太っ腹な経営者があちこちにいた。

私が働いていた学習塾は大学生70名を擁する大所帯だったけれど、半分は過激派学生だった。バイト先は「非武装中立地帯」なので、キャンパスでは剣呑《けんのん》な関係にあったはずの中核派、革マル派、ＭＬ派などの学生たちが談笑しながら机を並べて仕事をして、終わると、いっしょに呑みに行ったり、麻雀をしたりしていた。

あまり言う人がいないが、60年代末から70年代はじめにかけての全国の学生たちの叛乱に財政的基盤を提供したのは間違いなく日本資本主義の高度成長による「学生の富裕化」なのである。だから、70年代に入って文部省が授業料値上げによって学生たちの経済的余力を奪い、行動の自由を制約しようとしたのは、ロジカルなふるまいだったのである。

その後、80～90年代のバブル経済の頃になると、若者たちはさらにリッチになった。ご記憶の方もあると思うが、この時期は日本人全員が、サラリーマンだけでなく、主婦もＯＬも株の売買や不動産取引に熱中していた。おそらく学生たちの中にも株で一財産作った者がいたと思う。

みんな金儲けに夢中で、社会規範は緩み切っていた。だから、政治的にどれほど過激なことを訴えても、誰からも相手にされなかった。誰も怒らなかった。「好きにしたら」という感じで放置された。なにしろ、みんな金儲けに夢中で、他人のことなんか気にしていられなかったのである。足元に札束が落ちている時に、「坂の上の雲」を見上げる人間はいない。

そして92年にバブルが弾け、日本人は一気に貧乏くさくなった。そうなったら市民の政治意識が覚醒するかと思いきや、政治意識はむしろバブル期よりさらに希薄化することになった。

ふつうは中産階級が没落して、階層の二極化が進み、貧困層が増えると、社会情勢は流動化し、反権力的な機運が醸成され、統治が困難になるはずである。少なくとも、マルクス主義の教科書にはそう書いてある。でも、日本社会はそうならなかった。貧乏になるにつれて、市民たちは政治的関心を失ってしまったのである。

なんだ、そうだったのか……と統治者たちは気がついた。60年代からの市民の動きを観察した結果、「そこそこ懐が温かいと市民は権利意識に目覚め、さらに懐が温かくなるとむしろ非政治化し、貧乏だとまったく非政治的になる」というきわめて特異な歴史法則が日本社会を支配していることが知れたのである。

これはよいことを聴いた。それなら、統治コストを最小化したければ、方法は二つあることになる。市民たちを全員富裕にして、朝から晩まで金儲けのことだけ考えさせるか、あるいはその反対に徹底的な、救いのない無権利状態に置けばよい。金儲けに夢中の市民も、明日の米びつの心配だけで頭がいっぱいの市民も、政治的には非活動的になる。だったら、一部の市民だけを富裕化させ、残りを貧困化させ、中産階級を消滅させれば、この世から政治意識の高い市民は根絶される、と。そこに気づいたのである。官邸にもなかなか知恵者がいる。

上からの伝達にフリーズするだけの無力化した市民

マルクスは市民が貧困化して、「鉄鎖の他に失うべきものを持たない」プロレタリアートに転落すると、階級意識に目覚め、蜂起して、革命を起こすと予測したけれども、実際には、そんなことはどんな先進国でも起きなかった。イギリスでもフランスでもアメリカでも起きなかった。もちろん日本でも。

市民を政治的に無力化しても、彼らは決して「プロレタリア的階級意識」になど目覚めることはない。ただ無力になるだけである。無力化された市民たちはもう何か新しいものを創造する力がない。ただ、上位者の命令に機械的に従うだけになる。もう政治的な叛乱や体制転覆のリスクはなくなる。

もちろん、市民がこぞって無力感に蝕《むしば》まれると、その代償として、当然、総合的な国力は低下する。一握りの超富裕層＝特権層と、それにおもねるイエスマンの官僚・ジャーナリスト・学者だけが縁故政治の恩沢に浴し、圧倒的多数の労働者たちは無権利状態に甘んじるような社会では、目端の利いたやつは、なんとかして縁故政治の余沢にありつくべく、「おべっかつかい」への自己形成に勤しむ。

無力な大衆、おべっかつかい、貪欲な権力者の三層から形成される典型的な「後進国」の風景がこうしてできあがる。

「それでも構わない」という人たちが今の日本の統治機構を形成していると思う。現状がたいへんに困ったことだと思っている様子がないからである。統治者たちが不満をかこつのは、政府に反対するだけの政治意識を具えた市民がまだ存在するということだけである。あれこれと策略を凝らしてこのような市民たちを根絶してしまえば、後は「千年王国」である。

そのような社会をいつまでも持続させるためには、上から下まですべてイエスマンによって形成されている統治組織を作り上げなければならない。だから、過去30年、日本の統治者たちはもっぱらそのような上意下達的な組織の形成に勤しんできた。

上意下達型組織では、トップの指示が末端まで遅滞なく伝達され、ただちに物質化される。どこかで「これは間違い」と止められたり、「できません」と突き返されたりすることが起こらない。たいへん効率的である。

しかし、この組織には致命的な欠点がある。

創造力がないこと、そして復元力がないことである。そのような社会からはどのようなイノベーションも起きないし、器の大きな気象の若者も育ってはこない。イエスマンたちで埋め尽くされた組織では、トップは無謬《むびゅう》であることが前提になっている。だから、メンバーにはシステムの欠陥を補正したり、失敗事例を精査する義務もないし、権利もない。

これは平時においてはたいへん効率的である。上位者がどれほど無意味なタスクを発令しても、誰も「これ、意味ないですよ」とか「やめた方がいいです」というような諫言《かんげん》をなさない。どんな命令でも遅滞なく末端まで示達される。すばらしく効率的である。

でも、もう一つ致命的な欠陥がある。それは「無意味なタスク」が濫発されることである。別に無意味なタスク（最近では「ブルシット・ジョブ」という名前がついた）でみんなが額に汗して走り回っていても、それだけでシステムはクラッシュすることはない。ただ、みんなへとへとに疲れ、働き甲斐を見失い、意欲が削がれて、組織全体がどんより暗くなるというだけである。でも、それが続くと、そのうち「悪いこと」が起きる。というのは、どんなによく設計されたシステムでも、いつかは必ず想定外の出来事に遭遇して、危機的状況を迎えるからである。

上意下達的組織では、そのような場合に対処することができない。というのは、トラブルというのは、システムの各所が同時多発的に不調を発することだからである。上意下達だけに特化した組織では、現場からの「何かがうまくゆきません」という愁訴が上になかなか上がらない（上げると勤務考課で悪い点をつけられるからだ）。そもそも、制度設計者・運営者が無謬であることを前提にしてシステムが運転されているから、現場には自己裁量権がない。「上はなんでもわかっていて、下は何もわかっていない」ということが上意下達的組織の不動のヒエラルヒーの前提であるから、「上から指示があるまでは絶対に勝手に動いてはいけない」というマインドは、組織成員全員に骨の髄まで叩き込まれている。

だから、どんな悲惨なトラブルが目の前で起きていても、「このまま看過していたら大変なことになる」とわかっていても、とっさに自己判断で緊急避難的な措置をとることができない。そういう時には、フリーズしてしまう。

「自己裁量でシステムを動かしてはいけない」というのは上意下達的組織において、絶対に破ることが許されないルールである。だから、「たいへんなこと」が起きても、「臨機応変」にトラブルに対処できる人が現場には制度的に存在しない。

非常時に必要な臨機応変に委ねる「切り替え」の欠如

ご存じの通り、トラブルというのは通常は「ジョブとジョブの隙間」に生じる。

その問題に対処するのが誰の責任であるかがはっきりしないトラブルはどんな業種でも発生する。その時に、全員が「それは私の仕事ではありません」といって行き過ぎるか、一人でも「誰もやらないなら、オレがやっとくわ」といってさくっと片づけてくれる人がいるかで、システムは瓦解したり、救われたりする。ほんのわずかなことでも、結果はずいぶん違ってくる。トラブルはその「発生した時点」で解決してしまえば、たいしたことにはならないのである。ちょっと戸締りをチェックするとか、しゃがんでゴミを拾うとか、つけっぱなしの電気を消すくらいのことを誰かが「オレがやっとくわ」とやっておいてくれたおかげで、致命的な事態が回避されたというのは、実際によくあるのである。よくあるのだけれど、その「致命的な事態」は現実には回避されたので、誰も「あの人のおかげで破局的事態が未然に防がれた」ということを知らない。本人も知らない。だから、そのようなちょっとした気遣いがきわめて重要であるという事実が経験知として共有されない。もったいない話だが、実際には、そういう無数の「オレがやっとくわ」の積み重ねで私たちの社会は生き延びてきているのである。

しかし、この「誰もやらないなら、オレがやっとくわ」というマインドは上意下達的組織では制度的に育たない。誰がすべき仕事なのか、マニュアルにもガイドラインにも書かれていない仕事に、自己裁量で勝手に手を出すことが禁じられているからである。電気を消すとかゴミを拾うくらいのことはできても、それよりもう少し複雑な事態になると、「これをしていいですか」と起票して、稟議のハンコを押さないと許されない。

自己裁量と臨機応変は上意下達的組織では許されない。でも、システムの危機というのは、さまざまなレベルで、さまざまな種類のトラブルが同時多発的に発生するというかたちをとる。ある閾値を超えると、これを中枢的に処理することができなくなる。どこかで現場処理に委ねるしかない。

戦場において戦線が崩壊した時、あるいは船が沈没しかけた時、指揮者は部下に向かって「Sauve qui peut（ソーヴ・キ・プ）」という命令を発する。これはフランス語で「生き延びられる者は生き延びよ」という意味である。これから後はもう中枢的な指示を待つ必要はない。それぞれが自分の才覚に従って生き延びる道を探せ、と。この命令が適切に聴き届けられた場合、その戦闘員たち、船員たちは、生き延びて、どこかでシステムを立て直すチャンスがある。

「生き延びられる者は生き延びよ」という命令が有効であるためには、生き延びるためには、平時と非常時の切り替えが必要だということについてあらかじめ合意があることが必要である。

平時においては指揮系統がしっかり守られており、非常時においてはただちに現場判断・現場処理に切り替えることができる組織がもっとも危機耐性にすぐれている。

さきほど日本はもう「後進国トラック」を走っていると言ったけれど、それは非常時には、現場の臨機応変に委ねる「切り替え」が必要だという知見が社会的合意をもう得ていないということを指している。非常時になると、変数が処理能力を超えてしまって、適切な指示を出せなくなってパニックになってしまう上司と、非常時になるとフリーズして、ぼんやり上からの指示を待つことしかできない下僚だけしかいなければ、システムはもたない。
トラブルが致命的なものになるのを回避し、崩れかけたシステムを復元するのは、トップとは異なるアジェンダを掲げ、トップとは異なる「ものさし」でものごとの価値や意味を衡量することのできる者たち、すなわち「異端者」の仕事である。

たしかに、短期的・効率的なシステム運営を優先するならイエスマンだけの組織は合理的な解である。しかし、長いタイムスパンで組織の存続とメンバーたちの安寧を考慮するならば、上位者とは別の判断をする異物を一定の比率で含む組織の方が安全である。

たしかに異物を含む組織は統率がむずかしい。「自分とはものの見方が違う人間」を仲間として迎え入れ、対話し、合意形成できる人たちが一定数いなければ、「異物を含む組織」を適切に管理運営することはできない。だから、異物を含むシステムを管理運営するために、集団の成員たちには市民的成熟が求められる。理解も共感もできない人間とコラボレーションするというような面倒な仕事は大人にしかできないからである。

だから、異物を含むシステムは、成員たちに向かって「お願いだから大人になってくれ」と懇請する。それを受けて、いくたりかの人たちが「大人」への自己形成を果たす。これが多様性を受け容れるという社会がもたらす最も豊かな果実である。

多くの人は「異物を含む＝多様性を受け容れる」ということを道徳的目標のようなものだと思っている。でも、多様性の受け容れというのはそんな「きれいごと」ではない。もっとリアルで、もっと生臭い話である。

第一に、多様性を担保された集団はそうでない集団よりも危機耐性が高い。第二に、多様性を許容する集団では、成員たちに、そうでない集団においてよりも強く成熟が求められる。

トップに独裁者がいて、あとはイエスマンだけという均質的な組織では、成員に市民的成熟は求められない。むしろ、そこでは、市民が未熟で無力であることが求められる。その方が統治し易いからである。トップだけが「大人」で後は「子ども」でも、独裁制はちゃんと機能する。でも、異物を含む集団ではそうはゆかない。

今の日本社会では、市民までもが「統治者目線」で語る。そして、統治コストの最小化こそが最優先の国家的課題だと信じている。それは国家に向かって「私たちに対する配慮をできるだけ減らしてください」と懇願しているに等しい。私権の制限や私財の没収が統治コストの削減につながるなら、ぜひそうしてくださいと政府に訴えているに等しい。統治者にしたらまことにありがたい国民である。「私たちを未熟で無力のままにとどめおいてください。私たちに権限を与えないでください。私たちに自己裁量させないでください」と国民自身が政府にお願いしているのだから。

幼児であることに固執しているこの国民たちは「大人が一定数いないと回らないシステム」は「統治コストを高騰《こうとう》させる」と思っているので（事実そうなのだが）、「大人がいなくても回せるシステム」が望ましいと思っている。「対話だの調停だの合意形成だの、そういうのは面倒なんだよ。トップに全権を委ねて、全部決めてもらって、下はそれに従うだけの方が楽でいい」。これが今の日本人の多数派の意見である。

今、行政も、営利企業も、学校も、日本中のあらゆる組織が「管理コスト最小化」に血眼になっている。国民の過半がそれを望んでいるからである。市民的成熟の義務を免ぜられて鼓腹撃壌《こふくげきじょう》して暮らすことはあるいはけっこう楽しいのかも知れない。

けれども、そのような国は長くは生きられない。それは歴史が教える通りである。

（「内田樹の研究室」２０２０年10月30日）

対米従属のいくつかの病態

アメリカの国益を優先的に配慮する政権

今日本で起きている絶望的なまでの政治家の質の劣化は何に起因するのか。

結論から言うと、それは「日本はアメリカの属国でありながら、その事実を否認している」という事実に由来する。日本社会に蔓延している異常な事態の多くはそれによって説明可能である。

ニーチェによれば、弱者であるがゆえに欲望の実現を阻まれた者が、その不能と断念を、あたかもおのれの意思に基づく主体的な決断であるかのようにふるまう時、人は「奴隷」になる。「主人の眼でものを見るようになった奴隷」、それが真の奴隷である。彼にはもはや二度と自由人になるチャンスが訪れない。

日本はアメリカの属国であり、国家主権を損なわれている。これは敗戦国にしてみると「よくあること」である。しかし、属国であるという事実を、他国による強制ではなく、「おのれの意思に基づく主体的な決断」であるかのように思いなす国は、自らの意思で「属国」身分を選んでいることになる。これは「真の属国」である。もう二度と主権国家になるチャンスは訪れない。

私が「日本は属国だ」と明確に認識したのは、鳩山由紀夫元首相が２００９年に米軍普天間飛行場の移設を巡り「最低でも県外」と発言した際の政治と社会の反応を見た時だ。

鳩山氏は軍略上の重要性を失った沖縄の米軍基地を移転し、日本固有の国土の回復を求めただけである。首相として当然の主張をしたに過ぎないと私は思う。だが、これに対して外務省も防衛省もメディアも猛然たる攻撃を加えた。その理由は「アメリカの『信頼』を損なうような人間に日本は委ねられない」というものだった。ニーチェの「奴隷」定義を援用するならば、宗主国の利益を優先的に配慮することが自国の国益を最大化する道だと信じる人々のことを「属国民」と呼ぶ。

北朝鮮を巡る情勢が緊迫している。アメリカが北朝鮮に対し先制攻撃した場合、日本国内にミサイルが飛来して国民が死傷するリスクはある。だが、これを「アメリカがする戦争になぜ日本が巻き込まれなければならないのか」と憤る声はほとんど聞かれない。主権国家であれば、国土と国民を守ることを第一に考えるはずだが、日本政府は北東アジアの危機を高めているアメリカに一方的な支持を与えて、アメリカに軍事的挑発の自制を求めるという主権国家なら当然なすべきことをしていない。

「対米従属を通じて対米自立を達成する」という国家戦略は敗戦国日本にとってそれ以外に選択肢のないものだったということを私は認める。戦後日本がどうあるべきかについて、自分の希望を言える余地がないほど日本はひどい負け方をしたからである。

それに、対米従属という国家戦略は、その時点では比較的合理的なものだった。実際に、徹底的な対米従属の成果として、日本は１９５１年のサンフランシスコ講和条約で国際法上の戦争状態を終わらせ、国家主権を回復した。68年には小笠原諸島、そして72年には沖縄の施政権が返還された。戦後27年間は「対米従属」は「対米自立」の果実をたしかにもたらしたのである。

だが、この成功体験に居着いたせいで、日本の指導者たちはそれ以後対米従属を自己目的化し、それがどのような成果をもたらすための方便であるのかを忘れ始めた。

沖縄返還以後45年で対米自立の成果はゼロである。米軍は依然として国土を占拠し続け、基地を「治外法権」とする地位協定も改定されず、首都上空には米軍が管轄する横田空域が広がったままである。主権回復・国土回復という基本的な要求を日本は忘れたようである。

それどころか、対米自立が果たされないのは対米従属が足りないからだという倒錯的な思考を語る人がなぜか「リアリスト」を名乗るようになった。「年次改革要望書」や日米合同委員会を通じて、アメリカから通告されるすべての要求を丸のみすることが日本の国益を最大化する道であると本気で信じている人たちが今の日本では外交の要路を占めている。郵政民営化、労働者派遣法の改定、原発再稼働、ＴＰＰ、特定秘密保護法の制定、ＰＫＯでの武器使用制限の見直しなど、国論を二分した政策において、アメリカの要求はすべて実現した。わが国の国益よりもアメリカの国益を優先的に配慮する政権にアメリカは「同盟者」として高い評価を与え、それが属国政権の安定をもたらしている。

「主権者でないことの屈辱感」を与えられた日本国民

日本人はもちろん心のどこかで「属国であること」を深く恥じており、「主権の回復」

をひそかに願ってはいる。けれども、それは口に出されることがない。だから、その抑圧された屈辱感は必ず病的な症候として現れる。

痛苦な現実から目をそらしながら少しでも対米屈辱感を解除したいと思う人たちは、例えばかつての「大日本帝国」の主権的なふるまいを再演しようとする。ただ、大日本帝国はアメリカの敵国であるから、そのまま再演することは許されない。許されるのは、「それをしてもアメリカが大目に見てくれそうなこと」だけである。だから、どうすれば、大日本帝国的にふるまいながら、かつアメリカに叱られないかという課題をこの人たちは必死になって工夫することになる。それが対外的には韓国や中国に対する敵意や軽侮の表明であり、国内における人権の抑圧、言論の自由や集会結社の自由の制約である。

こういうことはかつて大日本帝国の戦争指導部が行ったことの再演であるが、これはいくらやってもアメリカは怒らないことがわかっている。同盟国の統治者がどれほど排外主義的で、非民主的であっても、アメリカはその倫理的な非を鳴らしたことはないというのは歴史的事実だからである。ベトナムのグエン・カオ・キも、インドネシアのスハルトも、フィリピンのマルコスも、パナマのノリエガも、アメリカは利用できる限り利用した。

それでも、ごくたまに、「いい加減にしろ」という叱責がなされることがある。日本が韓国との対立を過熱したことについてはアメリカからブレーキがかかった。別に「隣国とは仲良くした方がいい」という道徳的教訓を垂れたわけではない。米日韓の連携強化は、アメリカにとっても東アジア戦略上の急務だからである。

日本と韓国は軍事的緊張関係になるほどには敵対的ではなく、同盟国になるほど親密でもないくらいの「ぬるい」関係がアメリカにとってはありがたいというだけの話である。何か外交的なトラブルが起きるたびに日韓両国の外交官が米国務省に駆け込んできて、「なんとかしてください」と泣訴するという仕組みがアメリカにとっては一番使い勝手がよい。今回の従軍慰安婦問題における和解をアメリカが周旋したのは、「なんとかしてください」という駆け込み訴えがあまりに煩わしくなったからである。二国間で問題を解決できるほどの外交力は求めないが、アメリカに箸の上げ下ろしまでいちいち指図してもらわなくても、自分たちのトラブルは解決できる程度の外交力はあった方がいい。アメリカにしてみたらそれだけの話である。だから、相手が韓国であっても、北朝鮮であっても、中国であっても、アメリカがステイクホルダーとして一枚噛んでいる外交案件については、日本にはそれほどの自由はない。

その点、歯止めがないのが、国内における人権の抑圧、言論の自由や集会結社の自由の制約である。これはいくらやってもアメリカから苦情が出る気づかいはない。ニューヨーク・タイムズやワシントン・ポストは「同盟国があんな非民主的な国でよろしいのか」くらいの苦言は呈するだろうけれど、ホワイトハウスは気にしない。

だから、日本の指導層が無意識下に抑圧している「アメリカの属国であることの抑圧された屈辱感」はもっぱら日本国民に「主権者でないことの屈辱感」を与えるというかたちで病的に解消されることになった。

例えば、改憲運動というのがまさにその典型的な病態である。

日本国憲法を起草したのはアメリカのニューディーラーたちであり、憲法に底流する国民主権のアイディアはアメリカの統治理念に由来する。だから、「国民は主権者ではない」と広言して、アメリカの統治理念を全面的に否定することによって、アメリカの統治理念に唾を吐きかけることはできる。それで属国の屈辱感は部分的には解消される。もう一つの屈辱感の解消法は、日本国民に対して強権的にふるまうことである。会社で上司に屈辱的な扱いを受けたサラリーマンが家に帰って、妻や子を怒鳴りつけることでその屈辱感を解消しようとするのと変わらない。「お前たちは主権者ではない」というのは日米合同委員会で、日本の官僚たちが米軍人たちから毎度耳元で言われ続けていることである。その屈託を晴らす相手は日本国民しかいない。だから、「お前たちは主権者ではない」と今度は国民に向かってぶちまけることになる。哀しい病態である。

「起死回生の大ばくち」以外にはプランのない日本

私から日本人に向かって言いたいことは「現実を直視しよう」ということに尽きる。国防についても、外交についても、エネルギーについても、食糧についても、基幹的な政策について日本は自己決定権を持っていない。

日本国土の相当の面積を外国の軍隊に占拠されているが、この状態はおそらく半永久に続く。アメリカは米西戦争で得たキューバのグァンタナモ基地を１９０３年から年額４０００ドル（!）で租借し続けており、キューバ政府からの繰り返しの返還要求に応じる気配もない。グァンタナモ基地が返還されないのに、政府が「思いやり予算」をつけて「わざわざいてもらっている」米軍基地が返還されるはずがない。「はやく返せ」と言っている基地を返さないのだから、「いつまでもいてください」と言っている基地を返すはずがない。

日本国内の基地はこれからもアメリカの「飛び地」であり続けるだろう。明治維新以来の悲願であったはずの「不平等条約の解消」という主権国家の基礎的目標を政治家たちはもう忘れてしまった。吉田松陰でも伊藤博文でも、今の日本の不平等条約の実相を知ったら、自分たちの努力が無に帰したことの怒りにたぶん天を仰いで憤死するだろう。

海外の政治学者たちは特段の悪意もなく、日常的に「日本はアメリカの属国である」という前提で国際関係を論じている。オーストラリアの政治学者ガバン・マコーマックの日本論のタイトルはストレートに『属国』である。われわれもまたその事実を直視するところからしか話は始まらない。

この否定的現実をまず受け入れる。その上で、どうやって国家主権を回復するのか、衆知を集めてその手立てを考えてゆく。鳩山一郎や石橋湛山や吉田茂が国家的急務としていた問題をもう一度取り上げるということである。


日本が属国であることも、その事実を否定するために不必要な人権抑圧が行われていることは沖縄や福島へ行けばわかる。現場に行けば、政治家や官僚やメディアがどのように隠蔽しようとも、痛ましい現実が露呈する。まずそこに立つこと。幻想から目を覚ますこと。それが日本国民の最初にしなければならないことである。

日本は今はっきり後退局面にある。これから急激な人口減を迎え、生産年齢人口が激減し、経済活動は活気を失い、国際社会におけるプレゼンスも衰える。日本はこれから長期にわたる「後退戦」を戦わなければならない。

後退戦の要諦は、ひとりも脱落させず、仲間を守り、手持ちの有限の資源をできるだけ温存して、次世代に手渡すことにある。後退戦局面で、「起死回生の突撃」のような無謀な作戦を言い立てる人たちについてゆくべきではない。

でも、残念ながら、今の日本の政治指導者たちはいまだにこの「起死回生・一発大逆転」の夢を見ている。五輪だの万博だのカジノだのリニアだのというのは「家財一式を質に入れて賭場に向かう」ようなものである。後退戦において絶対に採用してはならないプランである。けれども、今の日本の指導層にはこの「起死回生の大ばくち」以外にはプランBもCもない。国として生き残るための代替案の案出のために知恵を絞ろうという人物が政官財の要路のどこにも見当たらない。

でも、こうした危機的現状にあって、冷静なまなざしで現実を眺め、自分たちが生き残るために、自分たちが受け継ぐはずの国民資源を今ここで食い散らすことに対して「ノー」を告げる人たちが若い世代からきっと出てくると私は思っている。

日本の人口はまだ1億2千万人ある。人口減は止められないが、それでもフランスやドイツよりははるかに多い人口をしばらくは維持できる。指導層の劣化は目を覆わんばかりだけれど、医療や教育や司法や行政の現場では、いまも多くの専門家が、専門家としての矜持《きょうじ》を保って、私たちの集団を支えるために日々命を削るような働きをしている。彼らを支えなければならない。

後退戦の戦い方を私たちは知らない。経験がないからだ。けれども、困難な状況を生き延び、手持ちの資源を少しでも損なうことなく次世代の日本人に伝えるという仕事について私たちは好き嫌いを言える立場にはない。それは国民国家のメンバーの逃れることのできぬ義務だからである。

（「内田樹の研究室」２０１７年５月３日）

「気まずい共存」

「公人」とは多数派を代表することではない

「大阪都構想の住民投票から2年。大阪のことを知ろう。市民大集会パート2」に際して、「みんなのそばにある大阪のモヤモヤ」というテーマで講演を依頼された。

結論から言うと「モヤモヤしている」というのは、それほど悪いことではないと私は思う。むしろ問題は「すっきりしたがる」ことの方ではないか。

今の日本の状況で一番私が不安に思っているのは、人々がみなシンプルで分かりやすい解を求めることだ。ただ一つの「正解」があり、それを「選択」して、そこに全部の資源を「集中」するという「選択と集中」の発想を多くの人がしたがる。だから、切り口上でまくし立ててくる。「この案に反対なんですか？ 反対なら、対案出しなさい。対案なければ黙っていなさい」と。そういう非常にシンプルな問題の設定の仕方をしてくる。そのことがわれわれの生き方をとても息苦しいものにしている。

民主主義というのは、投票して、51対49だったら、51票を得た方の政策が優先的に採用される可能性が高いということである。約《つづ》めて言えば、それだけのことである。「多数を制した」ということと、その案が「正しい」ものだったということは別のレベルのことである。選挙でどちらの得票が多かったかということと、どちらの政策が正しかったかということの間には相関がない。あとから振り返ってみたら、とんでもない悪政を行う政治家が国民的ポピュラリティを博し、さっぱり人気のなかった少数派の言い分の方が正しかったというような例は歴史上枚挙にいとまがない。

だから、立法府の選挙で多数を制した場合でも、そこで選ばれた行政府の執行者は「公人」としてふるまわなければならないのである。公人というのは多数派を代表するもののことではない。反対者を含めて集団全体を代表するもののことである。そのことを勘違いしている人があまりに多い。

オルテガ・イ・ガセットというスペインの哲学者が、デモクラシーとは何かということについて、非常に重要な定義を下している。それは「敵と共生する、反対者とともに統治する」ということである。これはデモクラシーについての定義のうちで、私が一番納得のいく言葉である。

どれほど多くの支持者がいようが、どれほど巨大な政治組織を基盤にしていようと、自分を支持する人間だけしか代表しない人間は「私人」である。権力を持っているということと、その人が「公的」であるということは別のことである。「公人」というのは自分を支持する人も、自分を支持しない人も含めて自分が属する組織の全体の利害を代表する人間のことである。そのことがいつのころからか日本では忘れ去られてしまった。

野党に対して相対的に高い支持率を得ているというだけのことで、与党のトップがあたかも全国民の負託を受けたかのような顔をしている。そのことに対して誰からも原理的な批判がなされない。それはおかしいと私は思う。

本来、内閣総理大臣は1億2千万人の国民を代表する「公人」である。自分の党派や自分の支持者を代表しているわけではない。

自由な論議の場で、反対者を受け入れる

以前、平松邦夫さんの市長選挙の出陣式に呼ばれて、応援のスピーチをしたことがある。短い時間で、3分くらいしかなかったが、その時に平松さんに一言だけお願いしたのは、絶対相手と同じ土俵に乗らないでくださいということだった。平松さんには最後までジェントルマンとしてふるまって頂きたいと申し上げた。自分の市政を批判して立候補した人物がいる。そして、その人を支持している市民がいる。平松さんが市長に再選された場合には、対立候補を支持した市民も含めて、平松さんは市民たちの意思を代表しなければならない。だから、選挙期間中でも、相手候補の言っていることがどれほど間違っていても、取り合う価値もないと思えても、それでも平松さんとしてはそれをまずは受け止めて、「そういう言葉にもあるいは一理あるかもしれない」という態度を貫いて頂きたい。選挙期間中であっても私人には戻らないで、あくまで公人としてふるまって頂きたい、と。出陣式のスピーチでそう申し上げた。考えてみたら、出陣式に全く似つかわしくない、全然盛り上がらないスピーチであった（事実、ほとんど拍手がなかった）。でも、今でもその気持ちは変わりない。

　私は今の大阪の市政・府政に対して不満がある。今の大阪の指導者たちはデモクラシーの原理を理解していないと思う。でも、それだからこそ私としては一層デモクラシーの本義を守らなければならないと思う。「お前たちの政策はこうこうであるが、それは間違っているので、我々は反対する。われわれが多数派を取って、お前たちを黙らせる」というのでは同じことの繰り返しであり、それでは少しも日本の政治文化が成熟してゆかない。では、どうすればいいのか。もう一回日本の政治文化を復興するためには、何をすればいいのか。

「君たちがそういうふうに考えるに至り、そういう行動を取るに至った事情はわからなくはない。君たちは君たちなりに日本社会を良くしようと思っているのだと思う。君たちがとても攻撃的、排他的になっているのは、もしかするとわれわれがこれまで君たちのそういう意見や思いを汲み上げてこなかったからかもしれない。君たちの意見を代表することができなかったことについてはわれわれにも責任の一端はある。われわれは君たちも含めてこの集団を代表したいと思う」。そういうふうな語り口を採用しない限り、この泥仕合はいつまでも終わらないと思う。

たとえ相手がどれほど非民主的な政治勢力であっても、敵を倒し、根絶するということを政治目標に掲げると、それはデモクラシーの成熟には資するところがない。自分に反対する人間はすべて敵だ、すべて潰すという排他的な政治的立場をとる人に対する真に根源的な批判は「われわれは反対者を含めて、この集団に属するすべての人々を代表する用意がある」と意地でも言い切るしかない。痩せ我慢であるけれど、そう言い切らないとデモクラシーに先がない。

彼らの言い分をきちんと聞き、自由な論議の場で、彼らの要求を部分的にでも受け入れ、部分的にでも実現してゆく。そうしないと、これまでも今も維新を支持している大阪の府民・市民たちを代表することはできない。

誰もが「同程度に不満足である」共同生活

何よりも、日本の政治文化をもう少し、大人のものに、成熟したものにしないといけないと思う。自由な言論がなされ、多様なアイディアが行き交って、そこで化学反応が起きて、まったく新しいものが生まれる。そういう自由な言論の場を確保しないと、もうどうにもならない。そのためには、理路整然と舌鋒鋭く政敵を批判するということはもうあまりしなくてもいいんじゃないかと思う。そんなことをしても少しも世の中は住みやすくならないから。

寸鉄人を刺す。テレビの政治番組を見ると（ほとんど見ないが、たまに目に入ると）人々はそういう語り口を好むようである。一言で相手を完膚なきまでに論破する鮮やかな技術にみんな魅了されている。相手の言っていることをねじまげても、揚げ足をとっても、虚偽のデータを挙げたり、あきらかな嘘をついても、それでもテレビに映っている数分間だけ相手を言い負かしたように視聴者に見えれば、それでいい。言ったことの真偽なんか、どうでもいい。そういうことを10年、15年続けていった結果、日本の政治文化はこれほど劣化してしまった。

私たちが反省すべきなのは、そうした政治家を生み出して、表舞台に押し上げたのは私たちだということである。「彼らは民主主義というものを全く分かっていない」という言葉は私の喉元まで出かかっているけれど、やはりそれはぐっと飲み込んで、「彼らはどうして、そんなふうに考えるに至ったのか」を問わなければならないと思う。そこまで民主主義に対して恨みがあるのには、それなりの個人史的理由があるのだろう。どうして彼らが「そういうこと」を願うに至ったのか。どうして人々の市民的自由や基本的人権が制約されることを歓迎するようになったのか。どういう屈託なり、絶望なり、怒りなりがあって、そのような過激な政治的意見を持つに至ったのか。そのような気分が形成されるに至った歴史的経緯について理解する努力をしなければいけないと思う。その屈託を汲み上げてゆかない限り、この後に公共的な政治文化は創り出せない。

先に述べたように、大阪市長選挙の出陣式では「とにかく平松さんはジェントルマンでいていただきたい」というような冴えない応援スピーチをしたせいで、選挙では敗北してしまったが、それでも今同じ場面を迎えても、たぶん私は同じことを言うと思う。

今また共謀罪が国会で強行採決されたが、そういうふうに強行採決によってデモクラシーを蹂躙《じゅうりん》しようとする人たちに対しても、私たちは想像力の翼を広げなければいけないと思う。彼らに「あなたたちはそうすることによって何をしたいのか?」と訊ねることを止めてはいけないと思う。

政権与党に共感し、支持している市民がいる。たくさんいる。私は彼らに共感できないし、どうしてそういう立場に立ち至ったのか、よく理解できない。それでも、私が一歩でも「公的」な立場に近づこうとするならば、彼らをも含めた日本人全体を代表して語るという目標を手放すことはできない。対立者とも対話のテーブルで向かい合わなければならない。これほど意見が違うわけだから、もちろんあまり生産的な対話にはならず、結果的に出てきた結論は、もし妥協がかなったとしても、まるでどっちつかずで、ぜんぜんぱっとしないものになると思う。でも、それでいい。みんなが同程度に不満足であるようなところがデモクラシーの「落としどころ」なのだから。

私はこのところ『フォーリン・アフェアーズ・リポート』というアメリカの外交専門誌を購読しているが、それを読んでいると、アメリカの政治学者の論調がずいぶん変わったことに気がついた。

最近、アメリカの政治学者が言い始めているのは、アメリカはもう国際社会に対する指導力は失ってしまったということである。アメリカはもう世界に対して指南力のあるメッセージを打ち出せなくなった。これからは、中国とかロシアとかドイツとか、国情も違うし、国益も違うし、目指している世界のありようも違う国々と、角突き合わせながら、なんとか共生してゆくしかない、そういう諦めに似たことを政治学者たちが力なく語り出すようになってきた。

その中に「気まずい共存」という言葉があった。これからのアメリカは世界の国々と「気まずい共存」の時代に入ってゆく覚悟が要る、と。これまでは「価値観の一致」とか「政治文化の共有」とかそういう相互理解を基盤にして外交関係を構築してきた。でも、これからは違う。われわれがこれから同盟したり、連携したりする国々は、われわれとは価値観が違う、統治形態も、統治理念も違う。でも、そういう理解も共感もできない国々と気まずいながら共存してゆく以外にアメリカが生きる道はない。だから、その居心地の悪さに早く慣れるべきだ、と。そういうことを、何人かの政治学者が書いていて、私は「そうだよな」と納得してしまった。

日本でも同じである。日本の政治文化が劣化したというのは、シンプルでわかりやすい解をみんなが求めたせいである。正しいか間違っているか、敵か味方か、ＡかＢか、そういうような形で選択を続けていった結果、日本の政治文化はここまで痩せ細ってしまった。それをもう一度豊かなものにするためには、苦しいけれども、理解も共感も絶した他者たちとの「気まずい共存」を受け入れ、彼らを含めて公共的な政治空間を形成してゆくしかない。

たしかに、それは非常に困難な課題だと思う。相手には一方的に批判され、罵られるだけなのに、こちらは想像力を行使してでも相手を受け入れる努力をしようという話なんだから。割に合わない仕事である。けれども、この割に合わない仕事を受け入れていかない限りデモクラシーの成熟はない。日本の政党政治、立憲デモクラシーをもう一度蘇らせるためには、「モヤモヤすること」を受け入れるしかない。気まずいパートナーとの共同生活に耐えるしかない。

（「内田樹の研究室」２０１７年8月16日）

リアリズムとは何か

凡庸で無能な統治者は人民と対立しない

菅政権の一年を総括して欲しいという寄稿依頼を頂いた。過去一年間だけのことを見て評価しても、たぶんそれほど目新しいことは言えないと思う。私が書きそうなことはきっと他の人がもう書いているだろうし、読者の多くも知っている話だろう。だから、なるべく誰も言いそうもないことを選択して書くことにする。菅政権の問題点をいくら列挙してもあまり生産的にはならないと思う。それよりはどうして、これほど無策で、指南力に欠ける政治家が位人臣をきわめて総理大臣のポストに就くことができたのか、就任後も失政を重ねて支持率を下げながらも今もその地位にとどまり続けることができるのか。その「文脈」について私見を述べてみたい。

私の仮説は「日本人の過半が自分を『夢見がちな理想主義者』ではなく『冷厳な現実主

義者』だと思うことを好むようになってきたので、自分たちと同類の『リアリスト』こそ統治者にふさわしいと思うようになった」というものである。

遠い理想やあるべき未来を語る態度をせせら笑う人たちが多数派を占めるというのは、デモクラシーにおいては決して珍しいことではない。アレクシス・ド・トクヴィルは『アメリカのデモクラシー』において、アメリカの有権者はどうしてアンドリュー・ジャクソンのような人物を二度大統領に選んだのか、その理由を考察した。トクヴィルの見たところ、「ジャクソン将軍は米国人が彼らの統領に二度選んだ人物だが、性格は粗暴、能力は凡庸、その全経歴を閲《けみ》しても、自由な人民を統治するために必須の資質を有していることを証明するものは何もない」。では、なぜ人々は彼を統治者に選んだのか？

トクヴィルの仮説は、アメリカの有権者たちは「統治者が人民とは知性・徳性において同程度である方が害が少ない」と考えたからだというものである。凡庸で無能な統治者は人民と鋭く対立をすることがない。人民の反対を押し切ってまで実現したい理想を持たないからである。それがこのタイプの統治者の最大の長所である。

「もし統治者と民衆の利害が異なった場合、統治者が有徳であることは無意味であり、有能であることはむしろ有害になるであろう」

トクヴィルはそう論じた。凡庸で無能な統治者を選ぶことで統治機構はむしろ安定すると考えた点にアメリカのデモクラシーの利点はあるという逆説的な知見を語った。

事実、ジャクソンの統治は「ジャクソニアン・デモクラシー」と呼ばれ、アメリカのデモクラシーのある種の頂点をきわめたと政治史には記されている。ジャクソンは無教養な人間だったけれども、それを「庶民の代表」というイメージに転用することに成功した。アメリカ先住民は劣等な種族だから「滅びるしかない」と公言して、アメリカ先住民を虐殺し、彼らを追い出して、その土地を白人入植者に分け与えて国民的人気を得た。独立宣言は「すべての人間は平等なものとして創造され、創造者によって生命、自由、幸福追求を含む不可侵の権利を賦与されている」という堂々たる理想を掲げていたが、ジャクソンはそれを歯牙にもかけない没理想主義によって有権者の喝采を浴びたのである。

もちろん、アメリカのデモクラシーがつねに「ジャクソニアン」であるわけではない。けれども、いくつかの歴史的条件が整うと同じようなことが起こる。現に、２０１６年にもアメリカの有権者はドナルド・トランプを大統領に選んだ。

リーダーに期待しない態度には先がない

日本のデモクラシーも安倍政権以後「ジャクソニアン」化しつつあるというのが私の診《み》立《た》てである。

日本の有権者たちはある時期から統治者に高い能力や見識や倫理的インテグリティーを求めることを止めた。そんなものは必要ないと思うようになった。それよりはむしろわかりやすい人気取り政策を行い、味方と身内を重用し、「政治的に正しい理想」を鼻先でせせら笑うような「等身大の政治家」を好むようになった。

「人間なんて、所詮、そんなものだろう。だったら、それでいいじゃないか。そういう人間がトップで何が悪い」という、リーダーに期待しない態度がいつの間にか「リアリズム」と呼ばれるようになった。

しかし、こういう態度を「リアリズム」と呼ぶことを許す社会にはもう先がないと思う。これはリアリズムではなく、ただの現状追認だからである。「今起きていることはすべて必然性があって起きているのだから黙って受け入れるべきだ」というのは一見すると冷静で知的な態度に見えるが、実際にはそこにはほとんど知性の働きは関与していない。

というのも、この人たちは「これから起きること」についてはいかなる予見もせず、「これから起きること」がどうあるべきかについていかなるヴィジョンも示していないからだ。現状を追認する人間には現実を変える力がない。現実を変える気がないのだから当然だ。だが、現実を追認するだけで、現実を変えることを目指さない生き方を「リアリズム」と呼ぶのは語の定義として間違っていると思う。それはただの「事大主義」に過ぎない。

丸山眞男はかつて東京裁判の戦犯たちの共通点を「既成事実への屈服」のうちに見た。大日本帝国戦争指導部を率いていた人々は東京裁判の検察官に対して、自分たちは個人的には三国同盟にも、満州事変にも、日米開戦にも反対であったと証言した。にもかかわらず、彼らが戦争指導部において次々と枢要な地位を占めた理由を検察官に問われて、「一旦既成事実となった以上は、これを変えることは甚だ簡単ではありません」と答えた。

彼らにおいて「『現実』というものは常に作り出されつつあるもの或は作り出され行くものと考えられないで、作り出されてしまつたこと、いな、さらにはつきりいえばどこからか起こって来たものと考えられている」と丸山は書いている。(「現代日本政治の精神状況」)

もう一度言うが、すでに作り出されてしまった現実、どこからか起こって来た現実をただ追認し、それに適応してゆく態度のことを私は「リアリズム」とは呼ばない。リアリズムというのはむしろ現実をこれから自分のアイディアに基づいて改変し、創作しようとする生き方のことだと思うからである。ほんとうに現実を「重い」と思っている人間なら、それに適応するのと同じくらい熱意を以て、あるいはそれ以上の熱意を以て、現実をどう変えようかについて気づかうはずである。「明日の現実を変えることは自分の仕事ではない」と言う人間は「明日の現実がどういうものになるのかに特段の興味がない」と告白しているのである。現実に興味がない人間がどうして「リアリスト」を名乗ることができるのか。

でも、ある時期から日本人は「明日の現実を変えようとする」人間を「観念的」で「妄想的」な理想主義者として冷笑することを「リアリズム」だと定義変更するようになった。それはいつ頃からだっただろう。私の感覚では、90年代の中頃からのような気がする。たぶんその頃に日本人の多くが「自分たちにはもう現実を変える力がない」というようになんとなく感じるようになったのだと思う。もう自分たちで手作りしたヴィジョンやプランに基づいて現実を変革するような力は自分たちにはない。だとすれば、後はすでに起きたことに適応して生き延びるしか手立てがない。そういう生き方がある時期から日本人のデフォルトになった。

すでに起きてしまったことに対して「最適解」を探す態度のことを武道では「後手に回る」と言う。現実に追随するものはつねに現実に遅れる。現実の突きつける問題に最適解で応じようとするものはつねに現実に遅れる。そして、一度後手に回った者は、もはや決して「先手を取る」ことはできない。現実に遅れるものは現実を創り出すことができない。当然のことだ。

菅政権の一年間で私たちが思い知ったのは、そのことである。日本人は今集団としてそのようなシリアスな病態のうちにある。一人の政治家の非を論《あげつら》っても意味がないと私が言うのはそういう意味においてである。

（2021年7月28日『週刊金曜日』8月6・13日合併号）

第3章

憲法制定過程の主体は誰か？

憲法の話

「平和の継続」と「自衛力の向上」を同時に達成するためには

　これは２００７年の憲法記念日に毎日新聞に寄稿した文章である。14年経ったが、この時提起された問題は１ミリも解決に向かっていない。

　改憲の動きが進んでいる。一部の世論調査では、国民の６割が改憲に賛成だそうである。大学のゼミでも「もうすぐ憲法が改正されるんですよね」とあたかも既成事実であるがごとくに語る学生がいて驚かされた。９条第2項の政治史的意味についての吟味を抜きにして、「改憲しないと北朝鮮が攻めてきた時に抵抗できない」というような主情的な言葉だけが先行している。

私は改憲護憲の是非よりもむしろ、憲法改定という重大な政治決定が風説と気分に流されて下されようとしている今の時代を覆っている底知れない軽薄さに恐怖を覚える。

改憲とは要すれば一個の政治的決断に過ぎず、それが国益の増大に資するという判断に国民の過半が同意するなら、遅滞なく行うべきことだと私は思う。だが、当否の判断が適切に行われるためには、改憲を主張する側にまず「説明責任」が求められる。

憲法を改定することで、日本国民は「憲法を改定しない場合に逸されるはずのどのような利益」を獲得できるのか、その利益が「この憲法を改定しないことがわが国にもたらす利益」より大きいとする根拠は何か。それを説明するのが現行制度の改変を求める人間の最低限の義務だろう。

「憲法を改定しないことがもたらす利益」についてなら、私たちはかなりの確度でそれが何かを言うことができる。戦後の平和と繁栄は間違いなくそのような利益の一つである。私たちは1945年からあと、一度もどこの国とも戦火を交えることがなかった。私たちの国の正規軍兵士は他国の領土で人を殺していない。これは先進国の中できわめて例外的なことである。米、英、露、仏、中、どの国もこの「偉業」において日本に遠く及ばない。この成果に対して国際社会は日本にいくばくかの「敬意」を抱いている。少なくとも私の外国の友人たちは私にそう告げてきた。

けれども、改憲派の諸君はそれを「敬意」ではなく「侮蔑」と解釈する。アメリカの世界戦略への「人的貢献」（要するに他国の領土でその国の人々を殺すこと）を怠ったことで日本は「国際社会の笑いもの」になったというのが、彼らが改憲を急ぐ理由として繰り返し言挙げすることである。

日本は「戦争をしない国」として外交ゲームに参加している。それはいわば「ジョーカー」を持たないでカードゲームに参加しているに等しい。9条2項を廃絶するということは「いつでも、誰とでも、したいと思ったら戦争をする権利」を手元にとどめることである。その権利さえ手にすれば日本は隣国から「要らざる侮り」を蒙《こうむ》ることがないだろうと彼らは考えている。だが、この推論には根本的な瑕疵《かし》がある。それは改憲しても日本は「ジョーカー」を手に入れることはできないということである。改憲して日本が手に入れることができるのは「アメリカ以外の国と、アメリカの許可があれば、戦争をする権利」であり、それだけである。

改憲した後も日米安保条約が維持され、国内に米軍基地が存続し、どのような国防上のプランもそのつど日米合同委員会で米軍の許諾を得なければ実現しないのであれば、その改憲はただ日本が「アメリカの軍事的属国」であるということを国際社会に向かって改めて宣言すること以上を意味しない。

たしかにアメリカの「軍事的属国」であると公言することで、隣国の人々は日本を恐怖し、場合によっては憎悪するようになるかも知れない。その方が「侮られる」よりはましだと改憲派の諸君は信じているのだろうが、私はその判断には与しない。

壊滅的な敗北のあとの受け容れがたい「現実」

敗戦によって日本は「アメリカにとって無害・有益な国」以外のものになる選択肢を許されなかった。敗戦国民にはそれ以外の選択肢がなかった。戦争に負けるというのは、そういうことであるのだから、あきらめるしかない。

けれども、その屈辱的な国際的地位を今になって自ら進んで選び直し、満天下に誇らしげにカミングアウトするとしたら、それはほとんど「私たちは敗戦国以下の存在である」と宣言するに等しい。そのような名乗りによって、国際社会から敬意や信頼が寄せられる可能性は限りなく低いと私は思う。

『9条どうでしょう』（2012年、ちくま文庫）以来、私が憲法について言っていることはずっと同じである。それは交戦権を否定した9条2項と軍隊としての自衛隊は拮抗《きっこう》関係にあり、拮抗関係にあるがゆえに日本は「巨大な自衛力」と「例外的な平和と繁栄」を同時に所有している世界で唯一の国となった、ということである。

いつも書いていることだから、みなさんはもう聴き飽きたであろうが、二つの対立する能力や資質を葛藤を通じて同時的に向上させることを武道では「術」と言う。「平和の継続」と「自衛力の向上」を同時に達成しようと思ったら、その二つを「葛藤させる」のがベストの選択である。

9条と自衛隊が矛盾的に対立・葛藤しているという考え方は、戦後の日本人がすすんで選んだ「病態」である。本当の対立・葛藤は日米間にある。

9条はアメリカが日本を「軍事的に無害化する」ために与えた「足かせ」であり、自衛隊はアメリカが日本を「軍事的に有用化」するためにあたえた「武器」である。GHQが敗戦国民に「押しつけた」この二つの制度によって、日本は「アメリカにとって軍事的に無害かつ有用」な国になった。

アメリカの国益を最大化するという文脈に即して言えば、ここには何の矛盾もない。しかし、「ここには何の矛盾もない」という事実を認めることは、そのまま「日本はアメリカの軍事的属国である」と認めることを意味する。それは壊滅的な敗北のあとの日本人にとってさえ心理的に受け容れがたい「現実」であった。それゆえ日本人は「狂う」ことを選んだ。

耐え難い現実から逃避しようとする時、人間は狂う。日本人は暗黙の国民的合意によって集団的に「気が狂う」ことを選択した。それは「9条と自衛隊は両立しがたく矛盾しており、そこに戦後日本の不幸のすべての原因はある」という「嘘」を信じることである。

護憲派も改憲派もそれを同時に信じた。

その国民的規模で営まれた詐病が「55年体制」である。

本来は存在しない9条と自衛隊の葛藤を苦しむという不思議な病態を演じることを通じて、日本人はその「疾病利得」として、世界史上例外的な平和と繁栄を手に入れたのである。

戦後日本が9条と自衛隊の「葛藤」を通じて国力を順調に育成してきたプロセスを「世界政治史上まれに見る狡猾な政治的マヌーヴァー」と私が評するのは以上のような理由による。

ひたむきな改憲派と護憲派の双方に欠如しているのは、政治史的な知識でも地政学的洞察でもない。私たちがしばしば「嘘をつくことによって、ほんとうのことを言おうとする」という経験的には熟知されていることを政治過程に適用する習慣である。

（「内田樹の研究室」2012年5月3日）

憲法について

空語を充たさなければいけない護憲派の言質

時々改めて「あなた、何の専門家なの」って訊かれる。いつも返答に窮してしまう。正直に言うと、私には専門分野と言えるようなものがない。いろんな分野に手を出して、いろいろな論点について一知半解のコメントをしているだけなので、ちょっと専門家に突っこまれると、すぐにしどろもどろになってしまう。

しかし、せっかく手を拡げて言論活動をしている以上、とりあえずは、どのトピックについても「その分野の専門家が誰も言っていそうもないことを言う」ことを原則にしている。他の人がすでに言っていること、その領域では「常識」として共有されていることを私が繰り返しても意味がないからだ。せっかく発言の機会を頂いた以上は、「まだ誰も仰っていないこと」を言う。そういう方針を採用している。

憲法についても「誰も言わないこと」を選択的に語ってきた。

最近は同じような意見を言ってくださる方がだんだん増えてきた。私が言わなくても言ってくださるのであれば、わざわざ私が出てくる必要はない。白井聡さんなんかの書かれたものを読んでいると、「そう、その通りだ」と膝を叩いてしまう。私よりもはるかに見事に現状を分析しているので、こういう仕事はそういうできる人に任せて、私はもっと違う分野に移動する時期かなとも思っている。それでもまだ私や白井さんのような立場は圧倒的に少数意見なので、しばらくはこの戦線にとどまるつもりでいる。

私が憲法に関して言いたいことはたいへんシンプルである。それは現代日本において日本国憲法というのは「空語」であるということだ。だから、この空語を充たさなければいけないということだ。

日本国憲法の掲げたさまざまな理想は単なる概念である。「絵に描いた餅」である。この空疎な概念を、日本国民であるわれわれが「受肉」させ、生命を吹き込んでいく、そういう働きかけをしていかなければいけない。

憲法は書かれたらそれで完成するというものではない。憲法を完成させるのは、国民の長期にわたる集団的努力である。そして、その努力が十分でなかったために、日本国憲法はまだ「受肉」していない、というのが私の考えだ。

もう一つ長期的な国民的課題がある。それは国家主権の回復ということである。

日本はアメリカの属国であって国家主権を持っていない。その国家主権を回復するというのはわれわれの喫緊の国家目標である。これはおそらく100年がかりの事業となると思う。これもまた日本国民が引き受けなければならない重い十字架である。

そして、国家主権の回復という国民的事業を一歩ずつでも前に進めるためには、「日本国民は今のところ完全な国家主権を持っていない」という痛ましい事実を認めるところから始めなければならない。

日本はアメリカの属国である。安全保障であれ、エネルギーであれ、食糧であれ、重要な国家戦略についてわれわれは自己決定権を有していない。この事実をまず国民的に認識するところから始めなければいけない。

けれども、現在の政権を含めて、日本のエスタブリッシュメントはそれを認めていない。日本はすでに完全な国家主権を有しているという「嘘」を信じているか、信じているふりをしている。すでに国家主権を有しているなら、アメリカの属国身分から脱却するための努力の必要性そのものが否定される。この重篤な病から日本人が目覚めるまで、どれくらいの時間が要るのか、私には予測できない。恐ろしく長い時間がかかることは間違いない。

最初に「憲法は空語である」という考え方について、少しご説明を申し上げておきたい。

いろいろなところから憲法についての講演に呼ばれる。もちろん、呼んでくれるのはどこも護憲派の方たちである。護憲派の集会へ行くと、客席の年齢層が高い。平均年齢はおそらく70歳くらいだと思う。若い人はまず見かけることがない。日頃から、駅頭でビラを撒《ま》いている方たちもそうだ。地域の市民たちが文字通り「老骨に鞭打つ」という感じで情宣活動をしたり、護憲派集会の会場設営の力仕事をされている。若い人が来ない。どうしてこんな老人ばっかりなんだろう。どうして日本の護憲派の運動は若い人に広がらないのか。

それはどうやら若い人たちはむしろ改憲派の言説の方にある種のリアリティーを感じているかららしい。改憲派の言葉の方に生々しさを感じる。そして、護憲派の言説は「空疎」だという印象を持っている。たぶん、そうなのだと思う。だが、どうして護憲派の言説にはリアリティーがないのか。

憲法を自然物だと思い込んでいた世代

私は１９５０年生まれである。だから、私にとって日本国憲法はリアルである。それを「空疎」だと思ったことがない。憲法は私にとって山や川のような自然物と同じようなものとして、生まれた時からそこにあった。良いも悪いもない。自然物についてその良否を語らないのと同じだ。「憲法を護ろう」というのは、私たちの世代にとっては、当たり前のことであるわけだ。それは「大気を守ろう」とか「海洋を守ろう」とかいうのとほとんど変わらないくらい自然な主張に思えていた。

だから、護憲派の人たちに60代、70代の人が多いのは当然なのである。この世代にとっては憲法には自然物としてのリアリティーがあるからだ。でも、若い世代は憲法にそのようなリアリティーを感じない。同じ文言であるにもかかわらず、育った年齢によって、その文言のリアリティーにこれほどの差が出るのだ。この差はどうして生まれたのか？

この差は「戦中派の人たちが身近にいたか、いなかったのか」という先行世代との関わりの違いから生まれたと私は思っている。

戦中派というと、われわれの世代では、親であったり、教師であったりした人たちだ。この人たちの憲法観が私たちの世代の憲法への考え方を決定づけた。戦中派の憲法理解が、戦後日本人の憲法への関わりを決定的に規定した、というのが、私の仮説である。

私自身は、戦中派であるところの両親や教師たちから、「とにかく日本国憲法は素晴らしいものだ」ということを繰り返し聞かされてきた。そして、「この憲法は素晴らしいものだ」と言う時に彼らが語る言葉にはある種の重々しさがあった。「声涙《せいるい》ともに下る」というのに近い実感があった。こんなよい憲法の下で育つことができて、お前たちはほんとうに幸せだ、と深い確信をこめて彼らは語った。その言葉に嘘はなかったと思う。子どもにも大人が嘘をついているのか、本当のことを言っているのかの区別はできる。だから、「この憲法のどこが素晴らしいの？」というような質問は思いもつかなかった。大人たちがはっきりと言い切っていることに疑義を差し挟むようなことを子どもはしない。

私たちが子どもの頃、天皇制を批判する人は今よりはるかに多かった。もちろん学校の先生たちの中にもいた。天皇制について、はっきり廃絶すべきだと言い切る先生たちは小学校、中学校に何人もいた。「天ちゃん」というような侮蔑的な言葉遣いで天皇を呼ぶ人もいた。それを咎める人もいなかった。でも、憲法について批判的なことを言う大人は私が子どもの頃には周りにはいなかった。

私の世代には名前に「憲」という字が入っている人がたくさんいる。今はもうほとんどいないと思うが、１９４６年の憲法公布から10年間ぐらいは、「憲男」とか「憲子」という名前はそれほど珍しくなかった。この時期だけに特徴的な命名だったと思う。それだけ親の世代が憲法に多くのものを期待していたということである。

だから、「改憲論」というものを私はずいぶん後年になるまで目にしたことがなかった。たしかに、自民党は党是として結党時から自主憲法制定を掲げていたはずだが、憲法を改正することが国家的急務であるというような言説がメディアを賑わせたということは、ずいぶん後になるまでなかった。特に１９６０年代末から70年代にかけて、私が高校生、大学生の頃は、世界的な若者の叛乱の時代である。そんな時期に憲法が話題になるはずがない。活動家たちはどうやってブルジョワ民主制を打倒して革命をするかという話をしていたのである。ブルジョワ憲法の良否が政治的主題になるはずがない。「憲法を護持すべきか、改正すべきか」が喫緊の政治的論件だと主張するような人間に私はその時代に一人も会ったことがない。

つまり、私たちの世代は、子どもの頃は憲法を自然物だと思い込んでおり、学生のころは憲法のことは眼中になく、いずれにせよ、憲法が政治的主題であったことはなかったのである。

ところが、ある時期から改憲論が政治的論件としてせりあがってきた。そう言われてみてはじめて「憲法を護持すべきか、改正すべきか」ということが一つの問題として存在するということを知ったのである。

私は「憲法は自然物」と思い込んで育ってきた世代であるから、むろん「生まれつきの護憲派」である。しかし、改めて護憲論とされる人々の言葉を読むと、なんだかずいぶん空疎に思えた。それに比すと、改憲論には独特の生々しさと激しさがあった。憲法に対するただならぬ憎しみを感じた。これでは憲法に対してニュートラルな立場にある人たちは改憲論の方に引きずられるかもしれないと思った。

憲法制定過程における戦中派の善意ある沈黙

そこで、「生まれつき護憲派」の立場から、どうして護憲論にはリアリティーがないのかということを考えた。

考えたらすぐにわかった。

日本国憲法を貫く理念は素晴らしいものであるが、これは日本人が人権を求める戦いを通じて自力で獲得したものではない。戦争に負けて、日本を占領したアメリカの軍人たちが「こういう憲法がよろしかろう」と判断して、下賜《かし》されたものである。日本人が戦い取ったものではない。負けたせいで転がり込んできたものである。人からもらったものを「護《まも》る」という仕事なのだから、あまり気合が入らないのも無理はない。

私だってもちろん憲法が市民革命を通じて獲得されたものではないということは歴史的事実としては知っていた。にもかかわらず、それを「たいへんに困ったことだ」と実感したことはなかった。それは戦中派の人たちが憲法の制定過程に関してほぼ完全に沈黙していたからだ。

こちらは子どもであるから、大人が決して話題にしないことについて、「それこそが問題なのだ」というようなことは言わないし、考えもしない。大人たちはうすうす知っていたのだろうが、日本政府とＧＨＱとの間で、どういう駆け引きがあって、どういう文言の修正があって、現行憲法が制定されることになったのか、私たち子ども相手には何も説明がなかった。

戦中派は二つのことがらについて沈黙していたと私は考えている。一つは戦争中における彼ら自身の加害経験について。戦時の空襲や機銃掃射の被害経験に関してはずいぶん雄弁に語ってくれたが、加害者として、中国大陸や朝鮮半島や台湾や南方において、自分たちが何をしたのかについては何も言わなかった。どういうふうに略奪したのか、強姦したのか、拷問したのか、人を殺したのか、そういうことについて子どもにも正直に語った大人に私は会ったことがない。

それは戦争経験文学の欠如というかたちでも現れていると思う。以前高橋源一郎さんに教えてもらったのだが、敗戦直後にはほとんど見るべき文学的達成はない。戦争から帰ってきた男たちが戦争と軍隊について書き出した最も早い例が吉田満の『戦艦大和ノ最期』で、これは46年には書き上げられていた。大岡昇平の『俘虜記』が48年。50年代になってからは、野間宏の『真空地帯』、五味川純平の『人間の條件』、大西巨人の『神聖喜劇』といった「戦争文学」の代表作が次々と出てくるが、加害経験について詳細にわたって記述した作品は私の世代は少年時代についに見ることがなかった。ただ、私は戦中派の人たちのこの沈黙を倫理的に断罪することにはためらいがある。かれらの沈黙が善意に基づいたものであることが分かるからだ。

ひどい時代だったのだ。ついこの間まで、ほんとうにひどいことがあった。たくさんの人が殺したり、殺されたりした。でも、それはもう終わった。今さら、戦争の時に自分たちがどんなことをしたのかを子どもたちに教えることはない。あえて、そんなことを告白して、子どもたちに憎まれたり、軽蔑されたりするのでは、戦争で苦しめられたことと引き比べて、「間尺に合わない」、彼らはたぶんそう考えたのだと思う。子どもたちには戦争の詳細を語る必要はない。子どもたちに人間性の暗部をわざわざ教えることはない。ただ「二度と戦争をしてはいけない」ということだけを繰り返し教えればいい。戦後生まれの子どもたちは戦争犯罪について何の責任もないのだから、無垢なまま育てればいい。戦争の醜い部分は自分たちだけの心の中に封印して、黙って墓場まで持って行けばいい。それが戦後生まれの子どもたちに対する先行世代からの「贈り物」だ、と。たぶんそういうふうに考えていたのではないかと思う。戦争の罪も穢《けが》れも、自分たちの世代だけで引き受けて、その有罪性を次世代に先送りするのは止めよう。1945年8月15日以降に生まれた子どもたちは、新しい憲法の下で、市民的な権利を豊かに享受して、戦争の責任から完全に免罪された存在として生きればいい。その無垢な世代に日本の希望を託そう。そういうふうに戦争を経験した世代は思っていたのではないか。そうでなければ、戦中派の戦争の加害体験についての、あの組織的な沈黙と、憲法に対する手放しの信頼は説明が難しい。

制定過程は歴史的事実として確定する必要がある

例えば私の父親がどういう人間であるか、私はよく知っているつもりでいる。筋目の通った人だったし、倫理的にもきちんとした人だったから、彼が戦争中にそれほどひどいことをしたとは思わない。父は10代の終わりから30代の半ばまで大陸に十数年いたが、戦争中に中国で何をしていたのかは家族にさえ一言も言わなかった。北京の冬が寒かったとか、家のレコードコレクションが何千枚あったかとかいう戦争とは無関係な個人的回想も、ある時期から後はぱたりと口にしなくなった。戦争中についての出来事は語らないというのは、あの世代の人たちの暗黙の同意事項だったのではないかという気がする。
自分たちの戦争犯罪を隠蔽するとか、あるいは戦争責任を回避するといった利己的な動機もあったかもしれない。しかし、もっと強い動機は、戦後世代をイノセントな状態で育ててあげたいということだったと私は思う。そういう穢れから隔離された、清らかな、戦後民主主義の恩恵をゆたかに享受する資格のある市民として子どもたちを育てること、それこそが日本の再生だ。この子たちが日本の未来を担っていくのだ。そういう希望を託されてきたという感覚が私にはある。それは私と同年代の人は多分同意してくれると思うのである。

戦争経験についての世代的な沈黙というのと対になるかたちで憲法制定過程についての沈黙がある。これも私は子どもの頃から聞いたことがない。学校の教師も、親たちも、近所の大人たちも、憲法制定過程について、どういう制定過程でこの憲法が出来たのかという話を私たちにはしてくれたことがなかった。大人たちがそれについて話しているのをかたわらで聴いた記憶もない。憲法制定は親たち、教師たちの年齢であれば、リアルタイムで目の前で起きたことだ。１９４５年から46年にかけて、大人たちは何が起きているか、だいたいのことは知っていたはずである。憲法制定過程に関してさまざまな「裏情報」を聴き知っていたはずである。でも、子どもたちにはそれを伝えなかった。

改憲派が随分あとになってから「押し付け憲法」ということを言い出した時に私は実はびっくりした。子どもの時はそんなこと考えたこともなかったからだ。憲法は日本人が書いたのか、アメリカ人が書いたのかについて、あれこれの説が憲法制定時点から飛び交っていたということを知ったのは、恥ずかしながらずいぶん大人になってからである。

最初に結婚した女性の父親は平野三郎という人で、その当時は岐阜県知事だったが、その前は自民党の衆議院議員だった。その岳父が、酔うと私を呼んで日本国憲法制定秘話を語ってくれた。私が日本国憲法の制定にはみんなが知らない秘密があるという話を個人的に聴いたのは彼からが最初だった。25歳を過ぎてからの話である。岳父は幣原喜重郎の秘書のような仕事をしていたので、死の床で幣原喜重郎が語ったことを、後に国会の憲法調査会で証言している。９条２項を思いついてマッカーサーに進言したのは幣原さんだと岳父は主張する。憲法９条２項は日本人が自分で考えたんだ。押し付けられたものじゃないとテーブルを叩きながら語った。

そういう話を聞いて、どうしてこういう事実がもっとオープンに議論されないのか不思議に思った。憲法制定過程については、実にいろいろな説が語られている。「藪《やぶ》の中」なのだ。でも、憲法というのは国のかたちの根幹を決定するものである。その制定過程に関して諸説があるというのはいくらなんでもまずい。歴史的事実として確定する必要がある。国民全体として共有できる歴史的な事実を確定して、それ以上真偽について議論する必要はないということにしないといけないと思う。しかし、現代日本では、憲法制定過程に関して、「これだけは国民が事実関係に関しては争わない」ということで共有できるベースがない。

なぜこんなことが起きたのか。それはリアルタイムで憲法制定過程を見ていたはずの世代の人たちが、それについて集団的に証言してくれなかったからだ。知っていることを言わないまま、沈黙したまま死んでしまったからだ。

戦中派より上の世代、敗戦の時に40代、50代という人たちの多くは銃後にいた。実際に戦争で多く死んだのは明治末年から昭和初年にかけて生まれた世代だ。この戦争を現場で経験したこの人たちは復員してきたあと、結婚して、家庭を作って、市民として生活を始めた。当然、これからの日本はどうなるんだろうということに興味をもってみつめていた。日本の行く末がどうなるか心から案じていたと思う。国のかたちを決める憲法については、その制定過程についても、日々どうなっているんだろうと目を広げて、日々話し合っていたはずである。でも、その過程で、「では、憲法はこういうふうに制定されたという『話』を国民的合意として採用しよう」ということをしなかった。

日本国憲法には前文の前に「上諭」というものが付いているが、私はそれをずっと知らなかった。上諭の主語が「朕」だということも知らなかった。でも、日本国憲法は「朕」が「公布」している。天皇陛下が「枢密顧問の諮詢」と「帝国憲法73条による帝国議会の議決を経て」日本国憲法を公布している。日本国憲法を公布した主体は天皇なのだ。ちゃんと「御名御璽《ぎょめいぎょじ》」が付いている。でも、私たちが憲法について教えられた時には、その上諭が削除されたかたちで与えられた。どういう法理に基づいてこの憲法が制定されたかという「額縁」が外されて、テキストだけが与えられた。

憲法の個々の条項については、その適否についていろいろな意見があっても構わないと思う。でも、その憲法がどういう歴史的な過程で、どういう議論を経て制定されていったのかという歴史的事実についてだけは国民的な合意があるべきだと思う。その合意抜きに、憲法の個別的条項についての議論を始めることはできない。でも、日本人にはその合意がない。憲法制定の歴史的過程は集団的な黙契によって隠蔽されている。

憲法についての試案があったとか、マッカーサー三原則があったとか、ＧＨＱの民政局が11日間で草案を作ったとか、さまざまな説があり、それについていちいちそれは違うという反論がある。どれが真実なのかがわからない。「これが出発すべき歴史的事実」として国民的に共有されているものがない。

憲法とは、われわれの国の最高法規である。その最高法規の制定過程がどういうものだったのかについて国民的な合意が存在しない。マグナカルタでも、人権宣言でも、独立宣言でも、どういう歴史的状況の中で、何を実現しようとして、誰が起草したのか、どういう議論があったのか、どういう風に公布されたかということは歴史的な事実として開示されている。それが当然だ。でも、日本国憲法については、それがない。制定過程が隠蔽された仕方で私たち戦後世代に憲法は与えられた。それをなんの疑いもなく、天から降ってきた厳然たる自然物のように受け止めてきたのが今や70にならんとしている私たちの世代の人間なのだ。改憲派の人たちに、「こんなもの押し付けられた憲法だ」「こんなものはＧＨＱの作文だ」と言われるとびっくりしてしまう。自然物だと思っていたものがこれは「舞台の書き割り」のようなものだと言われたわけなのだから。

でも、この舞台の書き割りを自然物のように見せていたのは、先行世代の作為だった。

戦中派世代の悲願だった。「書き割り」の日本国憲法を、あたかも自然物であるかのように絶対的なリアリティーをもつものとして私らに提示したのは彼らである。その戦中派の想いを私は可憐だと思う。私には彼らの気持ちがわかる気がする。もうみんな死んでしまった。父も岳父も亡くなった。大事なことを言い残したまま死んでしまった。だから、私らはそれに関しては想像力で補うしかない。

宣言と現実との乖離がある場合は宣言を優先させる

私が子どもの頃、内田家では、お正月には毎年日の丸を立てていた。どの家もそうだった。お正月や祝日には必ず日の丸を揚げた。黒と黄色に塗り分けられた旗竿の上に金のガラス玉を入れて、ぺらぺらの日の丸の旗を張って揚げた。私は子どもだったから、その儀式が好きだった。年末になると父が日の丸のセットを押し入れから出して、飾りつけをする手伝いをするのを楽しみにしていた。私が小学校の低学年のある年、「お正月だから、日の丸を出そうよ」と言うと、父親がふっと「もういいだろう」と言った。

もう日の丸を揚げる義理もなくなった、そういう感じだった。１９５８年か59年くらいのことだったと思う。その頃、たしかにまわりの家もだんだん日の丸を揚げなくなった。不思議なもので、別に「日の丸を揚げるのをやめましょう」という運動があったわけではない。でも、申し合わせたように、揚げなくなった。その時の国旗掲揚を止める時の理由が「もういいだろう」だった。

あとから思うと、１９５８年は、大日本帝国の十三回忌だった。帝国臣民たちは帝国が死んでから12年くらいまでは大日本帝国に対して弔意を抱いていた。当然のことだ。彼らは生まれてからずっと「神国不敗」「天壌無窮《てんじょうむきゅう》」の大日本帝国臣民だったわけだから。もういつまでも消えた帝国を懐かしんでいてもしかたがない、と。

誰が死んでも、さすがに十三回忌にもなると親族が集まった法事の席で、一族の長老がこう切り出す。「これでなんとか亡き親の十三回忌まで営みました。どうもありがとう。だが、みんなももう年を取ってきて、集まるのも大変になってきた。もう、この辺でいいだろう」。もう十分に悼んだから、もうこの辺でいいだろう。１９５８年頃に、日の丸が一斉に東京の街角から消えていったのは、大日本帝国の十三回忌も営んだし、もう昔のことは忘れて、新しい日本のことだけに集中しようという暗黙の国民的な合意だったのではないかという気がする。

やっている本人だって、自分が何をしているのかよくわかっていないのだ。口に出さないけれど、何となく、そんな気分になる。無意識的にやっているのだ。でも、私はそういう暗黙の、無意識の集団的な行動が、結局はある時代のイデオロギー的な大気圧をかたちづくっていて、その時代を生きている人間たちの思考や感受性を深く規定していたという気がする。

憲法を自然物のように思いなすというのは、私たちの世代的な「偏り」である。戦中派の薫陶《くんとう》を受けていない世代は憲法を私たちと同じようにはとらえていないのだと思う。だから、護憲論が空疎になる。

護憲論を批判するのは簡単である。こんなもの、ただの空語じゃないか、「絵に描いた餅」じゃないか、国民のどこに主権があるのか、「平和を愛する諸国民の公正と信義」なんか誰が信じているのか、国際社会が「平和を維持し、専制と隷従、圧迫と偏狭を地上から永遠に除去しようと努めてゐる」なんて白々しい嘘をよく言えるな。そう言われると、まさにその通りなのだ。

憲法前文には、「主権が国民に存することを宣言し、この憲法を確定する」と書いてあるが、そもそも「日本国民」というもの自体が擬制である。憲法が公布された１９４６年の11月3日の段階では、事実上も権利上も、「日本国民」などというものは存在していなかったのだから。公布前日の11月2日までは、列島に存在したのは大日本帝国であり、そこに暮らしていたのは「大日本帝国臣民」であって、「日本国民」などというものはどこにもいなかった。どこにもいなかったものが憲法制定の主語になっている。「この主語の『日本国民』というのは、誰だ？」と切り立てられたら、答えようがない。

日本国憲法を制定した国民主体は存在しない。存在しない「日本国民」が制定した憲法であるというのが日本国憲法の根源的な脆弱性である。

と言っておいてすぐに前言撤回するのもどうかと思うが、実は世の中の宣言というのは、多かれ少なかれ「そういうもの」なのだ。宣言に込められている内容はおおかたが非現実的であるし、宣言している当の主体自体だって、どれほど現実的なものであるかは疑わしい。

例えば１７７６年公布のアメリカ独立宣言は「万人は平等に創造された」と謳っているが、実際にはそれから後も奴隷制度は続いた。奴隷解放宣言の発令は１８６２年であり、独立宣言から１００年近く経っている。むろん、奴隷解放宣言で人種差別が終わったわけではない。公民権法が制定されたのは１９６４年。独立宣言から２００年経っている。そして、もちろん今のアメリカに人種差別がなくなったわけではない。人種差別は厳然として存在している。しかし、「独立宣言に書いてあることとアメリカの現状が違うから、現実に合わせて独立宣言を書き換えよう」と主張するアメリカ人はいない。社会のあるべき姿を掲げた宣言と現実との間に乖離がある場合は、宣言を優先させる。それが世界標準なのだ。

日本だけが違う。宣言と現実が乖離している場合は、現実に合わせて宣言を書き換えろということを堂々と言い立てる人たちがいる。それも政権の座にいる。

世界中どこでも、国のあるべきかたちを定めた文章は起草された時点では「絵に描いた餅」である。宣言を起草した主体が「われわれは」と一人称複数で書いている場合も、その「われわれ」全員と合議して、承認を取り付けたわけではない。自分もまた宣言の起草主体の一人であるという自覚を持つ「われわれ」をこれから創り出すために宣言というものは発令される。それが宣言の遂行的性格である。

それでいいのだと思う。日本国憲法制定時点では、「日本国民」なるものは現実には存在しなかった。でも、そこで掲げられた理念が善きものであるということが世の常識になり、「憲法を起草してくれ」と誰かに頼まれたら、すらすらとこれと同じ憲法を起草することができるような人々が輩出するなら、その時「日本国民」は空語ではなく、はじめて実体を持ったことになる。

この憲法を自力で書き上げられるような国民をめざして自己造型してゆくこと、それが憲法制定以後の実践的課題であるべきだったのだ。ただ、そのためには、日本国民が「われわれは『日本国民』にまだなっていない。われわれは自力でこの憲法を起草できるような主体にこれからならなければならない」と自覚することが必要だった。

護憲論の弱さはそこにある。

護憲派はそのようには課題を立てなかった。そうではなくて、「日本国民は存在する」「私たちは憲法制定の主体だ」というところから話を始めてしまった。それが最初のボタンの掛け違えだったと思う。

圧倒的な政治的実力を持つ主体によって制定されるもの

たしかに憲法前文には、「日本国民」が集まって、熟議を凝らした末に、衆知を集めてこの憲法を制定したと書いてある。しかし、そういう歴史的事実はない。戦争に負けたのだから、そういう事実がなかったことは仕方がない。でも、いずれ衆知を集めて、このような憲法を自力で起草できるような国民主体として自己形成することを未来の目標に掲げるということはできたはずだし、しなければならなかったはずだ。しかし、戦後の日本人たちはそれをしなかった。「日本国民は存在しない」「われわれは憲法制定の主体ではない」という事実から目を逸らした。それがいけなかったのだと思う。

日本国民が憲法を制定したわけではないという誰もが知っている事実を「なかったこと」にしたせいで、それ以後の護憲論・改憲論の「ねじれ」は生まれた。

私たちは憲法制定の主体ではないと、素直に認めればよかったのだ。たしかに日本国憲法は日本国民が衆知を集めて起草したものではないが、仮にもう一度憲法制定のチャンスを与えられたら、自発的にこれと同じ憲法を自力で書けるような日本国民へと自己形成することはできる。それを遂行的な目標として掲げることはできたはずである。そうすべきだったと思う。

もちろん、戦中派の人たちの中にも、それに似たことを考えた人はいたと思う。でも、それは多数意見にはならなかった。たぶん、そんな困難な国民的課題を引き受けるだけの気力・体力がなかったのだと思う。日本は負け過ぎた。再起できないくらいに負けた。自力で敗戦の総括ができないくらいに、戦争責任の追及ができないくらいに負けた。国土は焦土と化し、明日の食べ物さえままならなかった。その状況で、「あるべき日本国民」に向けて、自己陶冶《とうや》の努力をしようということを喫緊の国民的課題に掲げることはたぶん無理だったのだ。それよりはまず雨露をしのぎ、飢えを満たし、死者たちを弔い、傷ついた人たちを癒し、子どもたちを学校にやることの方が優先する。

そうやって何年か経った。憲法は日本の風土に根づき始めたように見えた。戦後に生まれた子どもたちは憲法を「自然物」のように素直に受け入れ、民主主義社会の空気を呼吸している。それを見て、戦中派の人たちはこう考えた。後はこの子たちに任せておけばいいじゃないか。この子たちは「生まれつきの国民主体」なのだ。この子たちに「好きに憲法を制定していいよ」と言ったら、きっとすらすらと今あるような憲法を起草するに違いない。だったら、今さら「日本国民は存在しない」「私たちは憲法制定の主体ではない」などという痛ましい事実をカミングアウトするには及ばない。黙っていても、「日本国民」は育っている。もう大丈夫だ。あと数十年も経てば、列島住民のほとんどが「憲法制定の主体」たりうる日本国民になっているはずだ、と。たぶんそういうふうに考えたのだと思う。そうでなければ、戦中派世代の制憲過程についての集団的な沈黙は説明できない。

でも、まことに残念ながら、歴史は彼らが予想したようには推移しなかった。私たちは戦後民主主義からの気前のよい権限委譲を享受するだけ享受したあげくに、あっさりと憲法のことを忘れて、あろうことか戦後民主主義の「欺瞞性」を罵倒するようになった。その時の戦中派の落胆はいかばかりであっただろうか。

でも、もう遅かった。私たちは「生まれついての憲法の申し子」であり、戦後民主主義が提供してくれる「果実」を食いたい放題に食うことは許されたけれども、憲法の精神を血肉化する義務があるとは教えられなかった。私たちにはもう「血肉化済み」だと思われていたのである。でも、そうではなかった。そして、何十年かして、私たちは改憲派に思い切り足をすくわれることになった。

改憲派のアドバンテージはその一点に尽きる。憲法制定過程に日本国民は関与していない。これはＧＨＱの作文だ。アメリカが日本を弱体化させるために仕掛けた戦略的なトラップだというのが改憲論を基礎づけるロジックだが、ここには一片の真実があることは認めざるを得ない。

憲法制定過程に「超憲法的主体」であるＧＨＱが深く関与したことが憲法の正当性を傷つけていると改憲派は言う。一方、護憲派はＧＨＱの関与については語ろうとしない。

「日本国民が制定した」という物語にしがみついた。

繰り返し言うが、憲法を制定するのは「憲法条文内部的に主権者と認定された主体」ではない。憲法を制定するのは、歴史上ほとんどの場合、戦争や革命や反乱によって前の政治体制を覆した政治的強者だ。それは大日本帝国憲法も同じである。

大日本帝国憲法において主権者は天皇である。「大日本帝国ハ万世一系ノ天皇之ヲ統治ス」と第一条に記してある。そして、その条項を起草したのも天皇自身であるということになっている。だから、大日本帝国憲法の「憲法発布勅語」には「朕」は「朕カ祖宗ニ承クルノ大権ニ依リ現在及将来ノ臣民ニ対シ此ノ不磨ノ大典ヲ宣布ス」と明記してある。

でも、別に憲法制定の「大権」が歴代天皇には認められていたなどということはない。勅諭や綸旨《りんじ》ならいくらでも出したが、「憲法」という概念自身が近代の産物なのであるから、憲法制定大権なる概念を明治天皇が「祖宗」に「承クル」はずがない。実際に明治憲法を書いたのは伊藤博文らである。明治維新で徳川幕府を倒し、維新後の権力闘争に勝ち残った政治家たちがその「超憲法的実力」を恃《たの》んでこの憲法を制定したのである。やっていることはＧＨＱと変わらない。

憲法というのはもともと「そういうもの」なのだ。圧倒的な政治的実力を持つ超憲法的主体がそれを制定する。それが誰であり、どういう歴史的経緯があって、そのような特権をふるうに至ったのかという「前段」については、憲法のどこにも書かれていない。でも、書かれてなくても、知っている人は知っている。

明治時代の人たちだって、憲法を起草したのが明治政府の重臣たちで、それが近代国家としての「体面」を繕い、国際社会にフルメンバーとして加わり、欧米との不平等条約を改定するために必要だからということも知っていたはずである。薩長のエリートたちによる支配を正当化し、恒久化するための政治的装置だということも知っていたはずである。

日本国憲法だって同じである。これもまた圧倒的な政治的実力を持つ超憲法的主体によって制定された。それが誰であり、どういう歴史的経緯があって、そのような特権をふるうに至ったのかという「前段」は、憲法のどこにも書かれていない。「上諭」にも書かれていない。でも、知っている人は知っていた。問題は、日本国憲法の場合は、制憲過程について「知っている人」たちがそれについて久しく口を噤《つぐ》んでいたことである。

国民の多くが憲法を「ろくでもないもの」だと思い、一刻も早く改定すべきだと思っていたら、制定過程についての「裏情報」はもっと流布していただろう。でも、戦中派の人たちはそう思わなかった。すばらしい憲法だと思っていた。だから、制定過程についてあれこれと語ることで、憲法のインテグリティに傷をつけたくないと思った。たぶんそうなのだろうと思う。

戦中派は善意でそうしたのだと思う。私はそれを疑わない。彼らは戦後の日本社会を1945年8月15日以前と完全に切り離されたものとして、戦前と繋がる回路を遮断された「無菌状態」のものとして立ち上げようとした。だから、戦争の時に何があったのか、自分たちが何をしてきたかについて口を噤み、憲法制定過程についても語らなかった。それを語るためには、日本には、主権者である「日本国民」のさらに上に日本国民に主権者の地位を「下賜」した超憲法的主体としてのアメリカがいるのだが、それは自分たちが戦争をして、負けたせいだからだという痛ましい真実を語らなければならない。子どもたちに言って聞かせるにはあまりにつらい事実だった。

修正困難な「ねじれ」を呼び込んだ「戦中派の沈黙」

戦争経験について、とりわけ加害経験について語らないこと、憲法制定過程について、日本は国家主権を失い、憲法制定の主体たり得なかったということを語らないこと。この二種類の「戦中派の沈黙」が戦後日本に修正することの難しい「ねじれ」を呼びこんでしまったのだと私は思っている。でも、私はそのことについて戦中派を責めるつもりはない。私たち戦後世代が戦争と無縁な、戦時における人間の醜さや邪悪さとも、敗戦の屈辱とも無縁な者として育つことを望んでいたからそうしたと思うからだ。

　だから、彼らの沈黙には独特の重みがあった。実存的な凄みがあった。「その話はいいだろう」といって低い声で遮られたら、もうその先を聞けないような迫力があった。だから、彼らが生きているあいだは歴史修正主義というようなものの出る幕はなかったのだ。仮に「南京虐殺はなかった」というようなことを言い出す人間がいても、「俺はそこにいた」という人が現にいた。そういう人たちがいれば、具体的に何があったかについて詳《つまび》らかに証言しないまでも、「何もなかった」というような妄言を黙らせることはできた。

　歴史修正主義が出てくる文脈は世界中どこでも同じだ。戦争経験者がしだいに高齢化し、鬼籍に入るようになると、ぞろぞろと出てくる。現実を知っている人間が生きている間は「修正」のしようがない。それは、ドイツでもフランスでも同じだ。

　フランス人も自国の戦中の経験に関しては記憶がきわめて選択的だ。レジスタンスのことはいくらでも語るが、ヴィシー政府のこと、対独協力のことは口にしたがらない。フランスでヴィシーについての本格的な研究が出てきたのは、１９８０年代以降。それまではタブーだった。その時期を生きてきた人たちがまだ存命していたからだ。自分自身がヴィシーに加担していた人もいたし、背に腹は代えられず対独協力をして、必死で占領下を生き延びた人もいた。彼らがそれぞれの個人的な葛藤や悔いを抱えながら、戦後フランスを生きていることを周りの人は知っていた。そして、それを頭ごなしに責めることには抵抗があった。

ベルナール＝アンリ・レヴィが『フランス・イデオロギー』という本を書いている。ドイツの占領下でフランス人がどのようにナチに加担したのかを赤裸々に暴露した本だ。レヴィは戦後生まれのユダヤ人なので、戦時中のフランスの行為については何の責任もない。完全に「手が白い」立場からヴィシー派と対独協力者たちを批判した。しかし、出版当時、大論争を引き起こした。

少なからぬ戦中派の人々がレヴィの不寛容に対して嫌悪感を示した。レイモン・アロンもレヴィを批判して、「ようやく傷がふさがったところなのに、傷口を開いて塩を擦り込むような不人情なことをするな」というようなことを書いた。私はそれを読んで、アロンの言うことは筋が通らないが、「大人の言葉」だと思った。「もう、その話はいいじゃないか」というアロンの言い分は政治的にはまったく正しくない。しかし、その時代を生きてきた人にしか言えない独特の迫力があった。アロン自身はユダヤ人で、自由フランス軍で戦ったのであるから、ヴィシーや対独協力者をかばう義理はない。だからこそ、彼がかつての敵について「済んだことはいいじゃないか。掘り返さなくても」と言った言葉には重みがあった。

80年代からしばらくはヴィシー時代のフランスについてのそれまで表に出なかった歴史的資料が続々と出てきて、何冊も本が書かれた。しかし、ヴィシーの当事者たちは最後まで沈黙を守った。秘密の多くを彼らは墓場に持っていってしまった。人間は弱いものだから、自分の犯した過ちについて黙秘したことは人情としては理解できるが、結果的にヴィシーの時代にフランス人が何をしたのかが隠蔽され、歴史修正主義者が登場してくる足場を作った。戦争経験者の多くが死んだ後に、歴史修正主義者たちが現れて、平然と「アウシュヴィッツにガス室はなかった」というようなことを言い出した。そのあたりの事情は日本とそれほど変わらない。

アルベール・カミュの逡巡もその適例である。カミュは地下出版の『戦闘』の主筆としてレジスタンスの戦いを牽引した。ナチス占領下のフランスの知性的・倫理的な尊厳を保ったという点で、カミュの貢献は卓越したものだった。だから、戦後対独協力者の処刑が始まった時、カミュも当然のようにそれを支持した。彼の仲間たちがレジスタンスの戦いの中で何人も殺されたし、カミュ自身も、ゲシュタポに逮捕されたらすぐに処刑されるような危険な任務を遂行していたのである。カミュには対独協力者を許すロジックはない。しかし、筋金入りの対独協力者だったロベール・ブラジャックの助命嘆願署名を求められた時、カミュは悩んだ末に助命嘆願書に署名する。ブラジャックの非行はたしかに許し難い。けれども、もうナチスもヴィシーも倒れた。今の彼らは無力だ。彼らはもうカミュを殺すことができない。自分を殺すことができない者に権力の手を借りて報復することに自分は賛同できない。カミュはそう考えた。

　このロジックはわかり易いものではない。対独協力者の処刑を望むことの方が政治的には正しいのだ。だが、カミュはそこに「いやな感じ」を覚えた。どうして「いやな感じ」がするのか、それを理論的に語ることはできないが、「いやなものはいやだ」というのがカミュの言い分だった。

　身体的な違和感に基づいて人は政治的な判断を下すことは許されるのかというのは、のちに『反抗的人間』の主題となるが、アルベール・カミュとレイモン・アロンは期せずして、「正義が正義であり過ぎることは人間的ではない」という分かりにくい主張をなしたのである。

レジスタンスは初期の時点では、ほんとうにわずかなフランス人しか参加していなかった。地下活動という性格上、どこで誰が何をしたのかについて詳細な文書が残っていないが、１９４２年時点でレジスタンスの活動家は数千人だったと言われている。それが、パリ解放の時には何十万人にも膨れ上がっていた。44年の6月に連合軍がノルマンディーに上陸して、戦争の帰趨《きすう》が決してから、それまでヴィシー政府の周りにたむろしていたナショナリストたちが雪崩《なだれ》打つようにレジスタンスの隊列に駆け込んできたからだ。その「にわか」レジスタンたちが戦後大きな顔をして「私は祖国のためにドイツと戦った」と言い出した。そのことをカミュは苦々しい筆致で回想している。最もよく戦った者はおのれの功績を誇ることもなく、無言のまま死に、あるいは市民生活に戻っていった、と。

『ペスト』にはカミュのその屈託が書き込まれている。医師リウーとその友人のタルーはペストと戦うために「保健隊」というものを組織する。この保健隊は明らかにレジスタンスの比喩である。隊員たちは命がけのこの任務を市民としての当然の義務として、さりげなく、粛々として果たす。英雄的なことをしているという気負いはないのだ。保健隊のメンバーの一人であるグランはペストの災禍が過ぎ去ると、再び、以前と変わらない平凡な小役人としての日常生活に戻り、ペストの話も保健隊の話ももう口にしなくなる。カミュはこの凡庸な人物のうちにレジスタンス闘士の理想のかたちを見出したようだ。

フランスにおける歴史の修正はすでに１９４４年から始まった。それはヴィシーの対独協力政策を支持していた人々が、ドイツの敗色が濃厚になってからレジスタンスに合流して、「愛国者」として戦後を迎えるという「経歴ロンダリング」というかたちで始まった。それを正面切って批判するということをカミュは自制した。彼自身の地下活動での功績を誇ることを自制するのと同じ節度を以て、他人の功績の詐称を咎めることも自制した。他人を「えせレジスタンス」と批判するためには、自分が「真正のレジスタンス」であることをことさらに言い立てて、彼我の差別化を図らなければならない。それはカミュの倫理観にまったくなじまないふるまいだった。同じようにナチス占領下のフランスで、ヴィシー政府にかかわったフランス人たちがどれほど卑劣なふるまいをしたのかというようなことをことさらに言挙げすることを戦後は控えた。カミュは「大人」であったから。

各国で歴史修正主義がそれから後に跳梁跋扈《ちょうりょうばっこ》するようになったのは、一つにはこの「大人たち」の罪でもあった。彼らがおのれの功績を誇らず、他人の非行を咎めなかったことが歴史修正主義の興隆にいくぶんかは与っている。「大人」たちは、歴史的な事実をすべて詳らかにするには及ばないというふうに考えた。誇るべき過去であっても、恥ずべき過去であっても、そのすべてを開示するには及ばない。誇るべきことは自尊心というかたちで心の中にしまっておけばいいし、恥ずべき過去は一人で深く恥じ入ればいい。ことさらにあげつらって、屈辱を与えるには及ばない。「大人」たちは、勝敗の帰趨が決まったあとに、敗者をいたぶるようなことはしない。対独協力者たちを同胞として改めて迎え入れようとした。人間的にはみごとなふるまいだと思うが、実際には「大人」たちのこの雅量が歴史修正主義の温床となった。私にはそんなふうに思える。

憲法制定過程を明らかにすることを怠った「不作為」

似たことが日本でもあった。それは戦中派の「大人たち」の私たち戦後世代に対する気づかいというかたちで現れた。憲法は自分たちで制定したものではない。日本国民なるものは空語であるということを彼らは知っていた。でも、自分たちに与えられた憲法は望外に「よきもの」であった。だったら、黙ってそれを受け容れたらよい。それを「日本国民が制定した」という物語に仕立て上げたいというのなら、あえて異論を立てるに及ばない。それは戦後世代の子どもたちに「親たちや先生たちがこの憲法を制定したのだ」というはなはだしい誤解を扶植することだったけれども、彼らはそのような誤解をあえて解こうとはしなかった。

彼らのこの生々しい願いが憲法の堅牢性を担保していた。そして、その人たちが死んでいなくなってしまったとたんに、私たちの手元には、保証人を失った一片の契約書のごときものとして日本国憲法が残された。

改憲派が強くて、護憲派が弱いという現実を生み出した歴史的背景はこのためだと思う。この事実がなかなか前景化しなかったのは、それが「起きなかったこと」だからだ。戦争における無数の加害事実・非人間的事実について明らかにする、憲法制定過程についてその全容を明らかにするということを怠ったという「不作為」が歴史修正主義者や改憲派が今こうして政治的勢いを有している理由なのである。「何かをしなかったこと」「何かが起きなかったこと」が原因で現実が変わった。歴史家は「起きたこと」「現実化したこと」を組み立てて、その因果関係について仮説を立てて歴史的事象を説明するのが仕事であるが、「起きなかったこと」を歴史的事象の「原因」として論じるということはふつうしない。

でも、もし戦中派が戦争責任をきびしく追及し、彼らの加害事実を告白し、さらに憲法が勝者に「下賜」されたものであることを認めた上で「日本国民などというものは今ここには存在しない。これから創り出すのだ」と宣言した場合、戦後の日本社会はどのようなものになっていただろうか。戦中派の人たちはそのタスクの重さに、ずいぶん苦しんだだろう。そして、私たちの世代は、そのような親たちの世代に対して、嫌悪や軽蔑を感じたかも知れない。戦中派は人間はそれほどきびしい苦役に長くは耐えられないという常識的な人間理解に基づいて、「子どもたちには何も言わない」道を選んだ。

護憲派はこの常識と抑制の産物である。だから、非常識と激情に弱い。

護憲運動を１９５０年代や60年代と同じように進めることはもうできないと思う。当時の護憲運動の主体は戦中派だったからだ。彼らはリアルな生身を持っていた。「空語としての憲法」に自分たちの願望と子どもたちの未来を託すというはっきりした自覚を持っていた。でも、私たちは違う。私たちは「自然物としての憲法」をぼんやりと豊かに享受し、それに敬意を示すこともなくさんざん利用し尽くしたのちに、ある日「お前たちが信じているものは人工物だ」と言われて仰天している「年取った子ども」に過ぎない。

これから私らが進めるべき護憲運動とはどういうものになるのか。これはとにかく「護憲運動の劣勢」という痛苦な現実を受け入れるところから始めるしかない。われわれの憲法は脆弱であることを認めるしかない。そして、その上で、どのような宣言であっても、憲法であっても、法律であっても、そのリアリティーは最終的に生身の人間がその実存を賭けて担保する以外にないのだと腹をくくる。憲法条文がどんなに整合的であっても、どんなに綱領的に正しいものであっても、そのことだけでは憲法というのは自立できない。正しいだけでは自存できない。絶えずその文言に自分の生身で「信用供与」をする主体の関与がなければ、どんな憲法も宣言も死文に過ぎない。

死文に命を与えるのはわれわれの涙と血と汗である。そういう「ヴァイタルなもの」によって不断にエネルギーを備給していかなければ、憲法は生き続けられない。でも、護憲派はそういう言葉づかいでは語らない。護憲派は、憲法はそれ自体では空語だということを認めようとしない。でも、憲法に実質をあらしめようと望むなら、身銭を切って憲法に生命を吹き込まなければならない。そうしないと、憲法はいずれ枯死する。私はその危機を感じる。だから、護憲の運動にリアリティーをもたらすためには、この憲法は本質的には空語なのだということを認めなければならないと思う。戦中派はこの憲法が空語であることを知っていた。けれども、口にはしなかった。でも、知っていた。私たちは、この憲法が空語だということを知らずにきた。そして、身銭を切って、この憲法のリアリティーを債務保証してくれていた人たちがいなくなってはじめて、そのことを知らされた。

それを認めることはつらいと思う。でも、私は認める。歴史修正主義者や改憲派がこれほど力を持つようになるまで、私はぼんやり拱手傍観《きょうしゅぼうかん》していた。憲法はもっと堅牢なものだとナイーブにも信じていた。でも、改憲して、日本をもう一度戦争ができる国にしたいと思っている人がこれだけ多く存在するということは、私たちの失敗である。それを認めなければいけない。だから、もう一度戦中派の常識と抑制が始まったところまで時計の針を戻して、護憲の運動をはじめから作り直さなければならないと思う。戦中派がしたように、今度は私たちが身銭を切って憲法の「債務保証」をしなければならない。これが護憲についての私の基本的なスタンスである。

（2018年5月15日）

憲法と自衛隊

憲法と自衛隊に齟齬があることに何か問題でも？

元陸将の渡邊隆さんと憲法と自衛隊をめぐって対談した。

自衛隊制服組の人とはこれまで何度か話をしたことがある。防衛研究所で２０１２年から14年まで３年連続で講演を頼まれたのである。依頼があったのは防衛研究所教育部から。特別課程研修での講演を頼まれた。演題は日本の安全保障についてということだった。特別課程研修に参加するのは陸海空自衛隊の一佐たち。

「今後、行政部局で中心となるであろう将官直前の自衛官等に資《し》質《しつ》涵《かん》養《よう》的な講演をして頂けないか、との希望です」と依頼書にあった。

幹部自衛官たちの前で安全保障についての私見を述べてもいいというお話である。こちらからすがりついてお願いしたってできるはずもないことを先方から「やって」と言ってきたのである。二つ返事で引き受けた。

それにしても、どうして私のような安全保障のど素人に講演を依頼してきたのか……とちょっと考えたのだけれど、考えても仕方がないので、とりあえず防衛研究所に行った。

そして、所長（シビリアン）と教育部の方たち（制服組）と講演の前にちょっとだけお話して、自衛官にはできるだけ広い視野でものを見るように教えているという説明をうかがった。ならばここを先途《せんど》と、日本はアメリカの軍事的属国であり、自前の安全保障構想を持っていないので、アメリカからの自立、主権の奪還が国家的急務である……というような「いつもの話」を2時間話して、ぴゅんと逃げ帰った。

私を呼ぶことを提案した教育部の方は「なんであんなのを呼んだんだ。責任とれ」と言われて、ひどい目に遭っているんじゃないかと心配したけれど、どうすることもできない。

ところが、驚くべきことにその翌年も講演依頼があった。

今度は所長が替わっていて、名刺交換の時に「前任者はどうしてこんなのを呼んだのだろうか……」といささか懐疑的なまなざしでみつめられたけれど、終わったあとに所長室でお茶した時に、破顔一笑して「いや、面白かったです。来年も来てください」と言われた。そして翌年も講演をした。このまま続くのかなと思ったけれど、２０１５年の夏にはお呼びがかからなかった。たぶんその頃に官邸に知れてしまい「あんなやつを自衛隊に呼ぶな」と言われたのであろう。

というわけで、制服組（元ですけど）の方とお話するのは5年ぶりということになる。渡邊さんは最初のカンボジアＰＫＯの大隊長だった方である。累進を遂げて東北方面総監をして退職されたエリート自衛官である。

自衛官というのは徹底的に「現場の人」であって、机上の空論には興味を示さないし、「正解」にも興味を示さない。彼らは今ここにある具体的なトラブルにどう対処し、どうやって被害を最小化するかということに優先的に知的資源を投じる。だから、「論争的な自衛官」というのは、基本的にいないはずなのである（時々いるけれど、あれはかなり例外的な存在だと思う）。というのは、「争い」をどうさばくかを本務とするテクノクラートが自分で問題を起こしたり、問題に火を注ぐということは定義上ありえないからである。

渡邊さんは案の定まったく論争的なタイプの人ではなかった。言うべきことは言うけれど、決してそれが論争的なマターにならないように最大限の注意を払っている。みごとに紳士的なマナーだと思った。

対談とはいえ、せっかくの機会なので、専門家にあれこれと訊いてみたかったが、私から投げたトピックは一つだけ。

それは「憲法9条の規定と現実の自衛隊の存在の間に齟齬があるということが改憲運動の第一の理由としてあげられているが、憲法の規定と現実の間に齟齬があることなんて、当たり前のことなので、うるさく論じるには当らない」というちゃぶ台返しのような話である。渡邊さんへの名刺代わりに、「憲法と自衛隊に齟齬があることに何か問題でも?」という話を振ったのである。


改憲派の人々は憲法9条と自衛隊の存在の間に齟齬があることを耐え難いと感じているようであり、しばしば「こんな非常識な国は日本以外にない」と言い立てるけれども、それは間違っている。私が知る限り憲法の規定と軍隊の存在の間にもっとも深刻な乖離を抱え込んでいる国はアメリカ合衆国である。アメリカ合衆国憲法はそもそも常備軍の存在を認めていないのである。

合衆国憲法第8条「連邦議会の立法権限」の第12項にはこうある。

「陸軍を召集（raise）し、これを維持（support）する権限。ただし、この目的のための歳出の承認は2年を超えてはならない」。第13項は「海軍を準備（provide）し、これを保持（maintain）する権限」。

つまり、陸軍は必要な時に召集されるべきものであって常備軍であってはならないと合衆国憲法は定めているのである。それは、常備軍は必ず為政者に従い、抵抗権をふるう市民と敵対するということを経験的に知っていたからである。

私たちが忘れがちなのは、アメリカは独立戦争を戦って宗主国から独立をかちとった植民地だということである。アメリカの建国の正統性を保証するのは「抵抗権」であり、「革命権」である。だから、市民の抵抗権、革命権の行使を妨げるはずの常備軍を持たないことを憲法に定めたのである。この憲法第8条と、市民の武装権を規定した憲法修正第2条はいわば「コインの裏表」の関係にある。

常備軍は持たない。必要な武力はそのつど武装した市民を「民兵（militia）」として召集することで備給する、というのが建国の父たちの陸軍についての基本的なアイディアであった。ただし、海軍については、規定が違った。長期にわたる組織的な訓練がないと帆船は動かせない。だから、海軍については年限を定めず「準備し、保持する」ことを認めたのである。それに海軍の場合、抵抗する市民たちも艦砲射撃の射程外にいれば何の被害も受けないし、市民を弾圧するためには、海軍も陸に上がって陸戦を戦わなければならない。おそらくはそれゆえに「海軍は常備軍であってもそれほど市民にとってリスクはない」という判断が下されたのであろう。軍隊についての考え方が、日本とアメリカではぜんぜん違うのである。

だから、常備軍を持たないことを規定した憲法を持ちながら、アメリカは世界最大の軍事力を誇っていることになる。ここにはあきらかに乖離があるのだけれども、「現実と合っていないから憲法を改定しろ」という改憲運動がアメリカにあることを私は寡聞《かぶん》にして知らない。

アメリカに改憲運動がないのは、憲法と現実の齟齬を感じるたびに、「そもそもわれわれは何を実現しようとしてこの国を建国したのか？」という起源の問いに立ち戻ることができるからである。

「アメリカっていうのは要するに一つのアイディアなんだ」とアメリカの作家に言われて、深く納得したということを柴田元幸さんがどこかに書いていた。アメリカは何のために存在する国なのか、ということをアメリカ人はひとりひとり自分に問う義務があり、権利がある。その時の手がかりになるのが独立宣言であり、憲法である。もし、そこにこめられた「アイディア」がいまここでの現実と乖離しているとしたら、どう調整するべきなのか、それをアメリカ人は自分に問うのである。そして、建国の父たちが彼らの建てた国にどのような理想を託したのかを繰り返し学ぶのである。

議論すべきは、憲法と現実の齟齬を踏まえた「次の一手」

日本国憲法も遂行的な意味を持つ文書であるという点ではアメリカ合衆国憲法と変わらない。そこには１９４６年時点で日本を占領していたＧＨＱのニューディーラーたちの「アイディア」が込められている。

彼らは「天皇制を持っている以外はアメリカみたいな国」を設計しようとしたのだと思う。だから、９条２項の「陸海空軍その他の戦力は、これを保持しない」という条項を書いた時に、彼らの脳裏にあったのは合衆国憲法第８条第12項、13項だったのだと私は思う。それは憲法の条項としては別にとりわけ「非常識」なものではなかったのだから。

ポツダム宣言第６条にはこうある。

「日本国民を欺いて世界征服に乗り出す過ちを犯させた勢力を永久に除去する。無責任な軍国主義が世界から駆逐されるまでは、平和と安全と正義の新秩序も現れ得ないからである」。

憲法起草者たちは、もしかすると「軍国主義者」を「常備軍」もろともに排除したあとには「平和主義者」と「抵抗権をもつ市民」がそれに取って代わると思っていたのかもしれない。この辺りは私の思弁なので、資料的根拠はない。しかし、自分の国が「正しい国」だと思っている人たちは、「自分の国で起きたこと」は他の国でも「起きるはず」「起きるべき」だと思い込みがちである。そして間違いなく、日本を占領したアメリカ人たちは自国が「正しい国」だと信じていた。だから、彼らは軍国主義を排除したあとに、もし日本が自衛の必要を感じたときは、「武装する市民」たちがその責を担うことになるのが理想的なのだが……と夢想していたのかも知れない。憲法起草者の脳内にどのような幻想が去来したのか、私には知る術がないけれども、憲法を起草したアメリカ人たちの中には、常備軍を持たず、「一旦緩急アレバ義勇公ニ奉ズル」武装した市民たちこそが日本国防の「望ましいかたち」だと夢想した人がいなかったと証明することも同じくできないのである。

起きなかったことの多くは、過去のある時点では「もしかするとそういう未来が到来するのではないか」と予測されていたことである。そして、その「蓋然性の高い未来」を勘定に入れて人々はその時に判断し、行動していた。でも、その予測は現実化しなかった。だから、その頃の人々がどうして「あんなこと」を言ったり、していたりしていたのかが、あとから見ると理解できなくなる。

私は憲法と自衛隊の齟齬は、「憲法起草時点でアメリカ人が日本の軍事について夢想していたこと」と、その後の現実の齟齬として理解すべきではないかと思う。

「常備軍のない国を守る武装した民兵」はアメリカ人にとって軍の一つの理想形である。民兵たちは市民としての生命、自由、財産を守るために、権力者に抵抗して戦うのであって、他国との戦争に駆り出されることはない。市民は交戦権を持たないし、そもそもそのようなものを持とうと望むこともない。武装した市民が求めるのは国土を脅かす侵略者と暴政を行う統治者に対する抵抗権だけである。

日本国憲法と現実の齟齬は、「どのような国をつくろうと願ったか」ということと「こんな国ができました」ということの間の隔たりとしてクールかつリアルに計測されるべきものだろうと思う。

その隔たりはわれわれに理想と現実のあいだの葛藤を絶えず主題化することを求める。それを踏まえて具体的な「次の一手」について論議し、合意を形成してゆくこと。それが「隔たりの功徳」ではなかろうか。

と言うような話をまず冒頭に渡邊さんに振ってみた。

渡邊さんは「合衆国憲法には常備軍の規定がない」というところで深く頷いて、合衆国憲法が「理想と現実のあいだを揺れ動くアメリカの歴史」をそのまま可視化したきわめて示唆に富んだ文書であることを指摘してくれた。そして、実際にアメリカは陸軍については「できるだけ常備軍を持たない」というルールを第二次世界大戦まではなんとか守ってきていた。いまのように常備軍化したのは、ここ50年のことだと渡邊さんは教えてくれた。そこから話は地政学的な話題に展開してゆくのだけれど、私としては、憲法と現実の齟齬は「起草時点でどのような未来を望見していたか」を繰り返し遡及的《そきゅうてき》に主題化するための重要な装置であるというアイディアを渡邊さんに認知してもらったので、それだけで深く満足したのである。

（「内田樹の研究室」２０１９年2月8日）

法治から人治へ

運用者の権威や人気が憲法や法律に優先する社会

まず新聞記事を読んでもらうことにする。

今の政府解釈は、武力行使が許される必要最小限度の範囲を「わが国が攻撃（侵害）された場合に限られる」と明示し、個別的自衛権だけ認めている。政府原案は、これに集団的自衛権の一部が含まれると新たに解釈するものだ。政府は解釈変更後に個別の法律で行使の範囲を示し、法で縛ることで行使は限定されると説明する方針。だが、憲法上の解釈が「安全に重大な影響」と曖昧では、時の政府の判断で範囲が際限なく広がる可能性があり、歯止めはなくなる。

政府原案では、憲法9条の下で禁じてきたイラク戦争（二〇〇三年）のような多国間による海外での武力制裁への参加も、憲法が禁じる国際紛争には当たらないとの新解釈を打ち出すことを検討していることも判明。政府解釈として確定すれば、他国の武力行使と一体化するとし、違憲と判断してきた戦闘地域での多国籍軍への武器・弾薬などの補給や輸送も可能になる。

首相の私的諮問機関「安全保障の法的基盤の再構築に関する懇談会」（安保法制懇）は、同様の内容の報告書を提出した。安倍政権は報告書を受けた後に原案の「政府方針」をつくり、自民、公明両党との協議に入る。合意すれば政府として閣議決定し、憲法解釈を変更したい考えだ。（東京新聞、２０１４年4月18日朝刊）

この記事を読んでみなさんはどういう印象を持っただろう。

私の印象は、一言で言うと、「憲法が軽くなっている」ということである。「法律が軽くなっている」という言い方でもよい。法条文そのものにはもはや何の重みもなく、運用者の権威や人気が憲法や法律に優先するというのが、現代日本の支配的な「気分」である。

私の例を話す。

先日兵庫県のある団体から憲法記念日の講演依頼があった。護憲の立場から安倍政権の進めている改憲運動を批判的に論じて欲しいという要請だった。むろん引き受けた。主催団体はこれまで二度集会を後援してくれた神戸市と神戸市教育委員会に今回も後援依頼をした。だが、両方とも後援を断った。拒否の理由は「昨今の社会情勢を鑑み、『改憲』『護憲』の政治的主張があり、憲法集会そのものが政治的中立性を損なう可能性がある」ということであった。

この発言はたいへんに重いと思う。たぶん発言者は気づいていないだろうが、たいへんに重い。というのは、「改憲」「護憲」についての政治的主張をなすのはどれほど大規模な政治勢力を率いていても「私人」であるが、行政はどれほど小規模な組織であっても「公人」としてふるまうことを義務づけられているからである。

この発言は憲法99条の「公務員の憲法遵守義務」を事実上否定したものである。その点で憲政史上きわめて大きな意味をもっている。

市長も教育委員も特別職地方公務員である。憲法99条は公務員が「この憲法を尊重し擁護する義務を負ふ」と定めている。

私が東京都の公務員に採用された時にも「憲法と法律を遵守します」という誓約書に署

名捺印した。当然、神戸市長も教育委員たちもその誓約をなした上で辞令の交付を受けたはずである。にもかかわらず、彼らは彼ら自身の義務であり、かつ公的に誓約したはずの「憲法を尊重し擁護する義務」を「政治的中立性を損なう」ふるまいだと判定した。

改憲派である総理大臣が高い内閣支持率を誇っている。そうである以上、護憲論は今のところ「反政府的」な理説である。お上に盾突《たてつ》く「私人」を行政が後援すれば政府から「お叱り」を受けるのではないか。そう忖度した役人が市役所内にいたのだろう。

立憲主義の政体においては、憲法は統治権力の正当性の唯一の法的根拠であり、いかなる公的行為も憲法に違背することは許されない。しかるに、神戸市は「時の権力者が憲法に対して持つ私見」に基づいて公務員の憲法遵守義務は解除され得るという前例を残したのである。

法律は継続的でかつ一意的なものでなければならない

公務員たちが私人としてのどのような憲法観・法律観を抱いているかは個人の自由である。個々の条文についてその適否をどう判断しているかはまさに憲法19条が保障するところの思想及び良心の自由に属する。しかし、彼らにしてもひとたび公人としてふるまう場合は「憲法を尊重し擁護する義務」を免ぜられることはない。この場合には、二枚舌を使うことを公務員は制度的に強制される。というのも、憲法は私人から見れば一個の法的擬制に過ぎないだろうが、公務員にとってはその職務の根本規範だからである。私人と公人の区別がわからない人が公務を執行する国を「法治国家」と呼ぶことは難しい。

新聞には、高知の土佐電鉄が護憲を訴える車体広告の掲載を拒否したという記事が出ていた。

ある市民団体が毎年憲法記念日にあわせて「守ろう9条・25条を!!」などの護憲メッセージを車体広告に掲げた「平和憲法号」と名づけられた路面電車を走らせてきたが、電鉄会社に広告の掲載を拒絶されたのである。数名の市民から「意見広告ではないか」という抗議が寄せられたためだという。電鉄側は「世論が変われば意見広告ととられることもあり、政治的な問題になってしまったので運行は中止する」と説明した。

ここでもまた「憲法を尊重し擁護しよう」という主張は「私人の政治的私見」に過ぎず、公共性を持たないという見解が示されている。たしかに電鉄会社は私企業であるから、公務員よりもある意味正直である。彼らははっきりと「世論が変わった」のかどうかの方が憲法にどういう規定があるかよりも重要であると考えたのである。

憲法98条にはこうある。

「この憲法は、国の最高法規であつて、その条規に反する法律、命令、詔勅及び国務に関するその他の行為の全部又は一部は、その効力を有しない」

この電鉄会社は「憲法は国の最高法規である」がゆえにそれを遵守することが望ましいという市民団体の主張を「世論になじまない」という理由で退けた。憲法よりも世論の方が大事だというのは民間企業には許される。私企業の場合なら経営者が改憲派であり、その私見を「護憲広告の掲載を拒否」というかたちで表明しても、公務員とは違って「憲法尊重擁護義務」に違背しているとは言われない。憲法にちゃんとそう書いてある。国民には憲法尊重擁護義務はない。けれども、公人は憲法を軽んじることが許されていない。

にもかかわらず、今はむしろ公人が率先して憲法をないがしろにする動きに加担している。これは重大な「潮目の変化」の徴候であると私は思う。これは日本の統治原理が「法治」から「人治」に変わりつつあることを示しているからである。

世論がどう言おうと、権力者がどう言おうと「法律で決まっていることはまげられない。まげたければ法律を変えなさい」という頑なさが法治すなわち立憲主義の骨法である。

政府が法律条文や判例とかかわりなく、そのつどの自己都合で憲法や法律の解釈を変え、その適否については「世論の支持」があるかどうかで最終的に判断されるというルールのことを「人治」と呼ぶ。「法律が何を定めているのかはそのつどの政府が適宜解釈する。いやなら次の選挙で落とせばいい」というのは法治の否定である。法律は世論や選挙の得票率とはかかわりなく継続的でかつ一意的なものでなければならない。そのつど「私が『民意』を代表している」と自称する人間の恣意によって法律解釈が朝令暮改できるなら、法律はもう要らない。そして、今の権力者たちがめざしているのは「法律がもう要らない」社会なのだ。

（「内田樹の研究室」２０１４年4月17日）

第4章

教育

貧して鈍して劣化する

教養教育とは何か

教養のない専門家は使い物にならない

教養教育の目的は第一に「自分自身をマップすること」にある。それは、図書館のどの書棚にどんな本が配架されているかを示す案内板や、山歩きする時の地図の働きに似ている。案内板が教えてくれるのは、「自分が知っていること」よりはむしろ「自分が知らないこと」である。地図は「自分のいる場所」よりはるかに多くの情報を「自分がいない場所」について伝えてくれる。それが教養教育の本来の姿だと私は思う。

大学設置基準大綱化のあと、多くの大学が教養教育を止めた。1年生から4年間フルに専門教育を行えば卒業時点で社会が求める「即戦力」が出来上がると信じたのである。でも、しばらくして「即戦力」をうるさく求めた当の産業界から「教養教育をちゃんとやってほしい。教養のない専門家は使い物にならない」という泣訴が届いた。

当然だと思う。専門家というのは他の専門家との協働作業ではじめてその力を発揮する。協働するためには、自分には何ができて、何ができないのか、自分はどのような知識や技術を提供できて、何を提供できないのかを言葉にできなければならない。非専門家に自分の専門について手際よく説明することができる人間でなければ専門家としては機能しない。それができない人間は、仮に特定領域での知識や技術がどれほどあっても、他の専門家との協働作業にかかわることができない。

「自分が地図上のどこにいるのか」を言えるようになること。「地図を見る力」を養うこと。それが教養教育である。専門的な知識や技術を所有していることと、その知識や技術を活用できることは別の次元のことなのである。


日本の教育史上最も成功した教養教育は旧制高校ではないかと私は思っている。そこでは若者たちが起居をともにし、文字通り「同じ釜の飯を食う」生活をした。そのような生活を通じて、彼らは集団内部での自分の立ち位置を学んだ。この集団の中で、自分はどのような役割を果たすことを期待されているのか。この集団において「余人を以て代えがたい」人間であるためには、何をすればよいのか。それを学んだ。

のちに大きな仕事をした人たちが旧制高校時代を回顧して、「…に出会って、この分野ではこいつには歯が立たないとわかったので、自分は…を専門にすることにした」と述懐する言葉を私は何度か読んだ記憶がある。

旧制高校が教育機関として成功したのは、それが同学齢集団の中でどういうふうに「ばらける」と集団としての知的パフォーマンスが最大化するかを10代の頃から熟慮させる仕組みだったからだと私は思っている。

格付けを優先して、多様性を捨てた日本の大学

今の学校教育では、学生たちを単一のある「ものさし」を使って格付けして、上位者を優遇し、下位者を処罰するという競争原理が幅をきかせている。けれども、精度の高い格付けを行うためには、それに先立って、できるだけ学生たちを均質化する必要がある。「それ以外の条件をすべて同じにする」ことでしか「ものさし」は当てられないからである。

精度の高い格付けと多様性は共存できない。どちらかをあきらめるしかない。

日本の大学は格付けを優先して、多様性を捨てた。21世紀に入ってからの日本の大学の学術的アウトカムの劇的な劣化はそれが原因で起きたと私は思っている。

学生ひとりひとりの「学力」を査定して、点数化して格付けすることにはもちろんそれなりの意味はある。だが、「それなりの意味」以上のものはない。むしろ、それは今学校教育の場に、利益より害悪をもたらしている。教育の成果は最終的には個人ではなく、集団単位で考量すべきものだからである。そのことを理解していない人間が教育制度を設計し、運営している。

私たちは学校教育を通じて、私たちの共同体の未来を担うことのできる次世代の成員たちを育てている。彼らの知性的・感性的な成熟を支援することによって、私たちの共同体が存続できるようにすることが学校教育の第一目的である。それ以外のことはどれも副次的なことに過ぎない。

『七人の侍』でも『スパイ大作戦』でも『ナバロンの要塞』でも（たとえが古くて申し訳ないが）、プロたちはそれぞれの「余人を以て代えがたい」異能の持ち主である。あるものは変装の、あるものは外国語の、あるものは戦闘技術の才によって集団に参加し、彼らの貢献によって集団は爆発的なパフォーマンスを達成する。そういう英雄譚はおそらく古代から繰り返し語られてきたのだと思う。それは専門分化と協働が集団の存続にとって死活的に重要だということを人々に教えるために物語られてきたのである。

気づいている人もいるはずだが、20年ほど前から日本では「似たような能力を持っている若者たちを一堂に集めて、その優劣を格付けして、それに基づいて資源分配をする」という後味の悪い物語を人々は娯楽として大量に消費するようになった。おそらくは社会の実相をそのまま映し出しているのである。もう一度アカデミアは「多士済々」の場とならねばならない。それが果たせなければ日本に未来はない。

（「内田樹の研究室」２０１７年６月８日）

大学院の変容・貧乏シフト

学術的に生産的だった「モラトリアム人間」の大学院

人口１００万人当たりの修士・博士号取得者が主要国で日本だけ減っていることが文科省の調査で判明した。これまでも海外メディアからは日本の大学の学術的生産力の低下が指摘されてきたが、大学院進学者数でも、先進国の中でただ一国の「独り負け」で、日本の知的劣化に歯止めがかからなくなってきている。

人口１００万人当たりの学位取得者数を２０１４〜17年度と２００８年度で比べると、修士号は、中国が１・５６倍、フランスが１・２７倍。日本だけが０・９８倍と微減。博士号は、韓国が１・４６倍、イギリスが１・２３倍。日本だけが０・９０倍と数を減らした。

さまざまな理由が指摘されているけれど、一言で言えば「大学院というところが暗く、いじけた場所になった」からである。若くて元気な人間なら、せっかくの青春をそんなところで過ごしたくはない。

と書いておいてすぐに前言撤回するのも気が引けるが、実は大学院は昔から暗くて、いじけた場所だったのである。にもかかわらず学術的生産性は高かった。どうしてか。

私が大学生の頃、大学院進学理由の筆頭は「就職したくない」だった。それまで学生運動をやったり、ヒッピー暮らしをしていた学生が、ある日いきなり髪の毛を七三に分けて、スーツを着て就活するというのは、傍から見るとずいぶん見苦しいものだった。「あいうのは厭だな」と思った学生たちはとりあえず「大学院でモラトリアム」の道を選んだ。私もそうだった。

ところが、こんな「モラトリアム人間」ばかり抱え込んでいた時期の大学院が、学術的にはきわめて生産的だったから不思議である。

それはちょうど日本社会が高度成長からバブル経済にさしかかる頃だった。同年配でも目端の利いた連中は金儲けに忙しく、世情に疎い貧乏研究者たちに「ふん、金にならないことしてやがる」という憐みと蔑みの視線を向けはしたが、「そんな生産性のないことは止めろ」とは言わなかった。人文系の学者が使う研究費なんて彼らからすれば「鼻くそ」

みたいな額だったからである。だから、「好きにさせておけ」で済んだ。

おかげで、私たち経済的生産性の低い研究者たちは、世間が金儲けに忙殺されている隙に、誰も興味を持たずさっぱり金にもならない研究に日々勤《いそ》しむことができた。そして、それが結果的には高い学術的アウトカムをもたらした。そういう意味ではよい時代だった。

独創性に価値が認められないアカデミア

でも、バブルがはじけて、日本全体が貧乏臭くなってから話が変わった。「貧すれば鈍す」とはよく言ったもので、「金がない」という気分が横溢してくると、それまで鷹揚《おうよう》に金を配ってくれた連中がいきなり「無駄遣いをしているのは誰だ」と眼を吊り上げるようになる。「限りある資源を分配するのだ。生産性・有用性を数値的に格付けして、その査定に基づいて資源を傾斜配分すべきだ」と口々に言い出したのである。

「数値的な格付けに基づく共有資源の傾斜配分」というのは、一見すると合理的な命題のように思える。私も90年代にはそのシステムの有効性を信じていたから、人のことを嗤《わら》えない。

でも、「公共のリソースを有用性・生産性に基づいて傾斜配分すべきだ」という「合理的な命題」はお金が潤沢にある時期は誰も口にしなかったということを思い出してもらいたい。それが一般的な真理であったのなら、高度成長期でもバブル期でも、それが支配的な言説だったはずである。でも、そうではなかった。金がじゃぶじゃぶある時には、「学者たちは好きなことをすればいい。要るだけ持っていきなさい（どうせはした金なんだから）」という態度だった人たちが、金がなくなると、いきなり「それぞれの研究の有用性をエビデンスベースで申告しろ」と言い出したのである。別に彼らにおける合理性の基準が変わったわけではない。単に金がなくなっただけである。だから、私はこれを「貧乏シフト」と呼ぶ。

哀しいかな、大学も「貧乏シフト」の濁流に押し流された。それが学問にとっては致命的だった。というのは、格付けというのは「他の人たちもできることを、他の人よりうまくできるかどうか」を見ることだからである。独創的な研究とは、それまで誰もしたことがない研究のことであるから、当然ながら、独創的であればあるほど、それは格付けになじまない。

「貧乏シフト」によってアカデミアから失われたのは、「誰もやっていないことを研究する自由」であった。独創的な研究には「優劣を比較すべき同分野の他の研究が存在しない」という理由で予算がつかなくなった。独創性に価値が認められないアカデミアが知的に生産的であり得るはずがない。

日本の大学の劣化は「貧して鈍した」せいである。「貧する」ことはよくあることで恥じるには及ばない。だが、「鈍した」ことについては深く恥じねばならない。

（「内田樹の研究室」2018年9月10日）

大学教育は生き延びられるのか？

教育人たちの「業の深さ」で日本の大学は保っている

「大学教育は生き延びられるのか？」という問いへの私からの答えは「ノー」である。

それは現場の人たちは実感していると思う。大学教育は生き延びられない。今の状況のままでは。

しかし、それも仕方がないと言えば仕方がないのである。わが国は今急激な人口減少局面にあり、生産年齢人口が減り続け、経済にV字回復の望みはない。かつては学術的発信力でも、教育水準でも、日本の大学は東アジアの頂点にいたが、今はもう多くの指標において、中国、シンガポール、韓国、台湾の後塵を拝している。何より問題なのは、急激に大学のレベルが下がっていることについて、当の大学人たちにも教育行政の当局にも強い危機感が感じられないことである。

正直に言うが、日本の大学は、このままではもう先はない。

教育制度は惰性が強いものだから、もちろん簡単には潰れはしない。民間企業のようにいきなり倒産するということはない。でも、じりじりと駄目になってゆく。長期にわたる停滞が続いて、20年、30年経ったあたりで使い物にならなくなるが、それでもまだ教育機関としての体裁だけはぎりぎり保っているだろう。というのは、医療や教育は「それがなくては共同体が存続しえない」制度だからである。どれほど、ひどいことになっても、最終的には現場にいる人たちが身体を張って、身銭を切っても守る。だから、公的な支援が途絶えても、政治家や官僚が息の根を止めようとしても、しばらくは持続はすると思う。でも、それは、現場の人が命を削っているからであって、制度としてはもう破綻している。

医療の世界では、かつて「立ち去り型サボタージュ」という言葉が使われた。小松秀樹さんの書かれた『医療崩壊』という本がその事実を明らかにした。小松先生とは一度お会いしたことがある。その時に教えてもらったのは、「医療崩壊」とは言うけれど、医療もやはり惰性の強いシステムなので、簡単には崩壊しないということだった。それは医療の最前線を守っているドクターやナースは自分の健康や家庭生活を犠牲にしても医療を守ろうとするからだ。そういう「業」を抱えた人が医療の現場に立っている。だから、制度的には破綻しているのだが、医療機関はまだ動いているということが起きるのだ、と。でも、それは生身の人間のオーバーアチーブメントで動いているのであるから、公的な支援を怠って放置しておけば、いずれ医療従事者が一人倒れ、二人倒れ、ついには機関の維持が難しくなる。そういう話だった。

かつて医療で起きたのと同じことが今、大学で起こっているような気がする。「教育現場で働いている人間を支援する」「彼らの仕事を減らし、待遇を良くし、自由度を高める」というアイディアを語る人はほんとうに少ない。メディアを見ている限りはどこにもいない。逆に、国も自治体もメディアも親たちも、「教師たちはまだ働き方が足りない」「教師たちはまだ力が足りない」と言って、現場にひたすら負荷をかけている。むごい話である。

それでもなんとか教育現場がもっているのは、教育に関わる人間もまた医療人と同じようにある種の「業」を抱えた人たちだからだ。

教員という職業を選ぶ人には一定の傾向性がある。医療を職業に選ぶ人たちに一定の傾向性があるのと同じである。教員は学校という場が好きなのだ。教室で若い人たちの前に立って何かを教えることが好きで、研究が好きで、異なる領域の知性と出会うことが好き……という人が学校教育の場には引き寄せられてくる。だから、常軌を逸した負荷がかかっていても、なんとかその場所を守ろうとする。家庭生活や健康を犠牲にしても、守り抜こうとする。今の日本の大学がこれほどの負荷の下にありながら、なんとか保っているのは、教育人たちのこの「業の深さ」のおかげである。

しかし、彼らが費消している生命資源は、本来であれば他のことに使わなければいけないものである。好きな本を読んだり、好きな音楽を聴いたり、好きなことをして遊んだり、運動したり、一家団欒《だんらん》をしたりするために用いるべき資源を、その本来の用途に投じることができずに、学校の管理業務とか文科省の命じてくる意味のない作業に割かなければならない。無益なことだ。

統治者が制度をいじるほど、パフォーマンスは低下する

私は選択定年制で大学を5年早く辞めたが、最大の理由は会議と書類書きが受忍限度を超えたからである。研究することも、教育することも大好きだったが、会議と書類書きは嫌いだった。でも、50代の途中から6年間は管理職に選ばれた。授業のない日に会議のためだけに登校するということが当然だった。この後5年在職しても、退職の日まで管理職が続くことがほぼ確実だったので、申し訳ないけれど60歳で退職させてもらった。そういう意味では私も「立ち去り型サボタージュ」の一人である。でも、これ以上いると、自分自身が干上がってしまうということがわかった。60歳になって、人生のカウントダウンが始まったのに、まだやり残した仕事がたくさんある。研究の領域でもあったし、武道家としてもやらなければならないことがたくさんあった。たしかに、大学を守るためには現場に残って、仲間たちと激務を分担すべきだということはよくわかっていた。でも、会議と書類書きで自分の時間をこれ以上費やすことに耐えられなかった。その点では忸怩《じくじ》たる思いがある。現場を棄てた人間としての反省を込めて今日本の大学教育の危機について書い

ておきたい。

まず具体的な数字から。

２００２年から日本の学術研究は質、量ともに国際競争力が低下している。２０１３年の「人口あたり論文数」は世界37位。先進国最低レベルで、中国、台湾、韓国よりはるか低位である。

論文数の減少が著しいのが、かつて国際競争力が高かった分野だというのも気になる。工学系は２００４年以降論文数が減少。生命科学系、農学系、理学系も低下傾向だ。社会科学系では論文数はそれほど減っていないが、もともと国際競争力のない分野である。総体として、日本の大学の国際競争力は過去15年間下がり続けている。「教育に対する公的支出」の比率も5年連続で先進国最低である。

しかし、これらの事実についての反省の弁を政府部内から聞いた記憶が私にはない。この国の政府は教育研究を支援することには関心がないのだろうか？　いや、関心はあるのだ。教育改革は政治家たちの最も好きなトピックの一つである。統治者が教育制度をいじりまわすことにこれほど熱心な国は他に見出しがたい。でも、彼らが制度をいじればいじるほど、教育のパフォーマンスは低下してきている。率直に言って、政府主導の教育改革はほぼ全面的に失敗している。私はこれまで35年間大学の教壇に立ってきた。この間の経年変化を砂かぶりで観察してきた。その立場から証言をしておきたいと思う。

はっきりした変化が始まったのは１９９１年の大学設置基準の大綱化からである。誤解して欲しくないが、設置基準の大綱化そのものが研究教育能力の劣化をもたらしたわけではない。大綱化を導入せざるを得なくなった歴史的な教育環境の変化があり、それに対して適切な対応をしなかったことが日本の大学の学術的な生産力を損なったのだ。わりと複雑な話なので、心して聴いて欲しい。

この間の大学の学術的発信力の低下について、教育行政当局は自分たちの責任を一切認めていない。先進国の中で日本の大学教育のアウトカムが最低レベルにまで下がったのは全て大学の責任であり、教育行政には何の瑕疵もないという態度を貫いている。

悪いのは文科省ではなくて大学なのだから、失敗の原因を探求するのも、対応策を講じるのも全部大学の自己責任であるという話になる。

上位機関から示達される「正しい政策」を、大学がその通りに実行しなかったせいで

「こんなざま」になっているわけだから、喫緊の課題は「どうやって大学を上意下達的な組織に再編するか」というものになる。これは論理的必然である。

事実、文科省は日本の大学の学術的な生産力が低下したことが明らかになってから後、ただ「どうやって大学を上意下達組織にするか」だけにしか関心がない。それ以外のことは何もしていない。

学長に権限を集中させて教授会自治を否定し、大学の自由裁量権を奪い、自己評価・自己点検作業を強要し、次から次へと無用なタスクを課して、研究教育のための時間を奪う。「どうしてこんなに無用なタスクばかり押し付けるのか」と大学の現場は嘆いているけれども、これは文科省にとっては実は合理的なふるまいだと私は思っている。というのは、ある組織が理想的に上意下達的に編成されているかどうかをチェックするためには「無用なタスク」を発令してその対応を査定することが最も効果的だからである。

学長が発令する「無用なタスク」に対して、「これ、意味ないですよ」とはっきり言う教職員がいるところでは、さまざまなレベルで「邪魔」が入り、上位者が命じた「無用なタスク」が簡単には物質化しない。全員がイエスマンの組織でないと「無用なタスク」は達成されない。それゆえに、上位者はあえて「無用なタスク」を発令するのである。いかなる指示であろうとも、その内容の適否にかかわらず指示が現場まで遅滞なく示達される組織は「上意下達的に編成されたよい組織」なので報奨を与える。途中で、「これ意味ないんじゃないですか」「やっても時間の無駄です」というような直言が挟み込まれて指示が現実化しない組織は「悪い組織」なので処罰を与える。そういうことをこの四半世紀ほど続けているうちに、大学は今のようなものになった。

大学組織を上意下達的なものに改編することに政府がこれほど熱心なのは、「教育行政は正しい政策を指示したのだが、大学教職員がそれに抵抗している」というストーリーですべてを説明しようとしているからである。「どうして日本の研究教育がうまくゆかないのか」の答えを文科省ははじめから用意してあるのである。「黙って上の言うことを聞かないからだ」。だから、これから何年、何十年経っても、政府は学校教育の失敗について一切責任を取らないはずである。責任はあげて「文科省の正しい指示に従わず、旧弊な教育理念や教育方法にしがみついて、自己変革を怠っている教育現場」にある。

文科省は大学に対して精密な自己評価を求めているが、私はそれよりも先に文科省自身が自己評価を行い、それを公開すべきだと思う。過去25年間の教育行政を点検して、現状はどうなっているのか、なぜこんなことになったのか、どうすれば改善できるのか。大学に訊くより先に、文科省自身がＰＤＣＡサイクルを回してみて欲しいと思う。官僚たちがどんな自己採点をするか見てみたい。

人口減少は教育行政が遭遇したことのなかった難問

繰り返すが、転換点は91年の大学設置基準の大綱化だった。それまでの日本の大学はよく言われる通り「護送船団方式」であった。いわゆる「親方日の丸」である。箸の上げ下ろしまでうるさく文部省が指図する代わりに、面倒は全部見る。そういう家父長制的な制度だった。

でも、大綱化によって、細かいことに関しては、大学の自由に任せようということになった。家父長的な制度がなくなって、大学が自由にカリキュラムを作ることができるようにすること、それ自体はたいへんよいアイディアだったと私は思う。当時の私はこの方向性を歓迎していた。「自己決定・自己責任」でいいじゃないか。でも、文科省が大学に自由を与え、権限委譲することに裏がないはずがない。当時の私はそれに気づかなかったけれども、大綱化の真意は大学の淘汰を市場に委ねることであった。

１９９１年段階では、以後18歳人口が急激に減ってゆくことが予測されていた。60年代には約２５０万人いた18歳人口は以後漸減して76年に１５４万人まで減り、一時回復して１９９２年に２０５万人に戻した。そこから再び減り続け、２０１７年では１２０万人。25年間で40%減少したことになる。

18歳人口がピークアウトして、もう増え過ぎた大学定員を満たすことが困難な局面に入るということがはっきりわかった時点で設置基準の大綱化は導入された。これから大学の数を減らさなければいけないということは当時の文部省にもわかっていた。もう護送船団方式は維持できない。

文部省と大学はそれまで親鳥と雛《ひな》鳥のような関係であった。親鳥は雛鳥を扶養する代わりにあらゆることについて口出しする。でも、親鳥が増え過ぎた雛鳥を扶養できない時代がもうすぐ来ることがわかった。護送船団のロジックからしたら、雛鳥が死んだらそれは親鳥の責任になる。こんな弱い鳥をなぜ産んで、育てようとしたのかという話になる。だが、これから後、雛鳥はばたばた死に始めるだろう。そこで、文部省は親鳥の仕事を放棄して、「これからは自己裁量で生き抜きなさい」と言い出したのである。なぜ淘汰圧に耐えられないような高等教育機関を認可したのか。なぜそこに税金を投入したのか。そういう問いに対して文部省には備えがなかったからである。

でも、それはある意味では当然のことだったと思う。私はこの点については文部省を責めない。他に手立てがなかったのだ。

明治の近代学制の導入以来、日本の教育行政の最大の使命は教育機会の増大だった。どうやって国民により多くの、より良質な就学機会を提供するか。それが近代日本の教育行政の仕事のほとんどすべてだった。就学機会を増やし、教育内容を高度化するという話であれば、誰も反対する者はいなかった。戦略がこれだけわかりやすければ仕事は楽である。

それは敗戦後も変わらなかった。敗戦国日本は軍事力や外交力ではなく、むしろ経済力や教育力や学術的発信力によって国際社会に認知される道を進むべきだということについては国民的な合意があった。

しかし、80年代になって教育行政は過去に一度も遭遇したことのなかった難問を前にすることになった。人口減である。就学機会を求める国民の数がこれから減る。だから、それに合わせて、学校を減らす必要がある。これは教育行政が明治以来はじめて取り組む問題だった。初めて遭遇する問題だから、誰も「こうすればいい」という正解を知らなかった。

とりあえずは大学進学率の上昇が期待できるうちは何とか大学定員は満たせるだろう。けれども、それもいずれどこかで天井を打つ。それから後は高等教育機関を減らさなければならない。

でも、文部省にはどうやって教育機関を減らすかのロジックがなかった。護送船団方式でそれまでやってきたわけであるから、自分が認可し、自分が指図して育ててきた大学に対して「お前は失敗作だったから廃校しろ」というわけにはゆかない。製造者責任を問われるのは文部省自身だからだ。

そこで政府は大学の淘汰は市場に委ねるというアイディアに飛びついた。強者が生き残り、弱者は淘汰されるというのは市場では自明のことである。自分の生んで育てた雛鳥を殺す仕事を親鳥は放棄して、生き死にの選別を市場に丸投げした。これが91年の大学設置基準大綱化の歴史的な意味である。

これは明治維新以降の教育行政の決定的な転換点であったと私は思う。でも、その時点では私も私のまわりの大学人も、この変化の歴史的意味に気づいていなかった。18歳人口が減ってゆく以上、大学が生き残りをかけてそれぞれに創意工夫を凝らすことは「当たり前」のことであり、その淘汰プロセスで大学教育研究の質は向上するに違いないと、私も信じていた。

しかし、この期待はまったく外れてしまった。市場に委ねるということが、それぞれの大学に好き勝手なことをしてくれということではなかったからである。というのは、私たちに求められたのは、どの大学が「要らない大学」であるかを可視化することだったからだ。そのためにはシンプルでわかりやすい指標に基づいて大学を格付けしなければならない。市場はそれを要求してきたのだ。

「格付けして市場に開示せよ」という均質化

大学の場合、「市場」は二つある。「入口」と「出口」である。

どの大学のどの学部学科が受験生やその保護者たちによって選好されているかという「入口」におけるニーズと、卒業した後に、どの大学のどの学部学科の卒業生たちが採用者によって選好されているかという「出口」におけるニーズの二つである。受験生と保護者が求めたのは「そこを卒業すると、どれくらいの年収や地位が期待できるか」についての情報であり、採用先が求めたのは「そこを卒業した労働者にはどれくらいの能力と忠誠心を期待できるか」についての情報だった。その教育機関が、学生たちの知性や感性をどのように豊かに涵養し、彼らの市民的成熟をどのように支援するかというような教育にとって最も本質的なことは誰も問わなくなった。

大綱化というのは自由化のことだと私は思っていた。私は間違っていた。それはそれぞれの大学が生き延びるために創意工夫を凝らすようにと命じる点では「自由化」のように仮象したのだが、「どの大学から順番に淘汰されてゆくかをわかりやすく格付けして市場に開示せよ」という指示が意味するのは実質的には「均質化」だったからである。

私はカリキュラムの自由化によって、日本中の大学が、それぞれの教育理念と教育方法を持ち、それぞれの教育プログラムを編成して、それぞれ異なる達成目標をめざすということになると思い込んでいた。多様性ばんざい、と。でも、それは違っていた。大綱化から後、大学に求められたのは厳正な格付けだったからである。公的な支援に値する教育機関はどこで、支援しないで消えるに任せてよい教育機関はどこか、その根拠を提供してくれる格付けを教育行政は求めていた。そして、格付けというのは「みんながやっていることを、みんなよりうまくできるもの」を選び出すことである。

教育機関のアウトカムはかなり長い時間をかけないと判定できない。極端な場合には、死ぬ間際にはじめて「私の人生がこれだけ豊かだったのは、あの時に受けた教育のおかげだった」と気づくということだってある。教育が学生たちの市民的成熟にどれほど資するものだったかを査定しようと思ったら、とりあえず20年くらいは観察しなければ答えは出ない。

でも、マーケットはそんなに待ってくれない。だから、「みんながやっていることを、みんなよりうまくやっている」ことをただちに、数値的に示せるものを「ものさし」として押し付けてきた。入学者の偏差値、定員充足率、就職率などなど。そういう数字で示せるものが教育機関の質を査定できる「ものさし」になった。

「各自好きな教育をしてよい。ただし、その結果については客観的な格付けをする」というルールは、「みんなと同じこと」をしないと数値的に優劣が可視化されない以上、日本中の大学が自発的に相互模倣するという倒錯的な事態をもたらすことになった。

考えてみれば、それと同じことはその少し前から研究領域でも起きていた。

若い研究者たちは限られた専任のポストを求めて競争することを強いられているわけだ

が、研究者たちがそれぞれ独創的な研究をしていたのでは、研究成果の優劣を査定することは難しくなる。独創的な研究というのは、定義上、これまでの基準に照らしてはその価値や意味を査定しがたいものだからである。客観的で精密な査定をしようとすれば、研究者たちができるだけ同じ研究領域に集中して、同じ研究方法で、同じ研究課題に取り組んでいてもらうのがよい。

研究者一人一人の出来不出来を正確に格付けするためには、できるだけみんなが「同じこと」をしているとありがたい。誰も手がけない、前人未踏の領域の研究業績は「格付け不能」にファイルされる。「格付け不能」というのは市場では「無価値」と同義である。だから、リスクを避けようとする秀才たちは「誰も手がけない領域」ではなく「競争相手で混み合っている領域」に頭から突っ込んでゆくようになった。日本の学術研究の多様性はそのようにして短期間に急激に失われていったのである。

局所的に見ると適切なように見えるふるまいが、全体的に見るときわめて不適切であるということがある。大学の格付けというのは、まさにそのようなものだった。大学の優劣を可視化するという要請はそれだけ見れば合理的に思える。だが、その帰結が大学の均質化と研究成果の劣化だったとすれば全体的には不適切なものだったという他ない。

自己評価活動は今ではどこの大学も当たり前のようにやっているが、そもそも何のために自己評価活動が要るのかというおおもとのところに還って考えるということをもう誰もしていない。はっきり言って、こんなものは日本の大学には不要なものだと私は思っている。

アメリカの大学の中にはとても「大学」とは言い難いようなものがたくさんある。設置基準が日本とは違うからだ。ビルの一室、私書箱一つでも大学は開校できる。校地面積であるとか、教員数であるとか、蔵書数であるとか、そういうことについて日本のようなうるさい縛りがない。そういう大学のことを Degree mill とか、Diploma mill と呼ぶ。「学位工場」である。学位を商品として売るのだ。

学位工場はアメリカの商習慣から言うと違法ではない。というのは、一方には金を出せば学位を売るという大学があり、他方には金を出して学位を買いたいという消費者がいて、需給の要請が一致しているからだ。売り買いされているものが無価値なものだということは売る側も買う側も知っている。商品の価値について売り手と買い手の間に合意があり、価格が適正だと双方が思っているなら、法的な規制はかけられない。だから、アメリカ国内には無数の学位工場が林立している。
それでは学位というものの信頼性が損なわれる。そこで「まともな大学」が集まって、「まともな大学」と「学位工場」の差別化をはかった。でも、「学位工場」の「ブラックリスト」を作ることはできない。それは彼らの営業を妨害することになり、場合によっては巨額の賠償請求を求められるリスクがあるからだ。だから、「この大学の出している学位は無価値です」というアナウンスはできない。できるのは「私たちはまともな大学であり、私たちの出す学位は価値があります」という自己申告だけである。でも、自分ひとりで「うちはまともです」と言っても十分な信頼性がない。だから、世間に名の通った「まともな大学」を集めて、「まともな大学同士でお互いの品質保証をし合う」という「ホワイトリスト」の仕組みを作った。それが相互評価である。

アメリカの教育史を見る限り、相互評価の必然性は理解できる。しかし、日本にはそんなことをする必要がない。学位工場など存在しなかったからだ。日本の大学は厳しい設置基準をクリアしてきて創立されたもので、教育しないで、学位を金で売るようなインチキな大学は存在する余地がない。

でも、確かにある時点からそれが必要になってきた。それは小泉内閣以後の「規制緩和」によって、特区に株式会社立大学の設置が許されたからである。その大学が存在するだけの価値があるかどうかの判定は市場に委ねる。「事前審査」から「事後評価」へというこの流れは「護送船団方式」から「市場へ丸投げ」という大綱化と同じ文脈で登場してきたのである。

そして、２００３年に規制緩和路線の中で株式会社立大学が認められた。「構造改革特区」においては学校法人ではなく、株式会社にも学校経営への参入が容認された。それ以前は私立学校の設立母体となることができるのは学校法人だけだった。規制緩和によって、２００４年度から続々と株式会社立大学が設立された。でも、おそらくご記憶だろうけれども、それらの株式会社立大学のその後はかなり悲惨なものであった。

全国14キャンパスを展開したＬＥＣ東京リーガルマインド大学は２００９年度に学部が募集停止。２００６年度開学のＬＣＡ大学院大学も２００９年度に募集停止。ＴＡＣ大学院大学、ＷＡＯ大学院大学は申請はしたが、「不可」とされた。ビジネス・ブレークスルー大学は２０１２年度の大学基準協会の大学認証評価で「不適合」判定を受けた。実質的に専任教員が置かれていないこと、研究を支援・促進する仕組みが整備されていないこと、自己点検・評価・第三者評価等の結果を組織改善・向上に結びつける仕組みが機能していないことなどが指摘されたが、これは経営破綻に至った他の株式会社立大学にも共通していたことであった。

「グローバル教育」という新たな大学の格付け

でも、私はこの失敗についても株式会社立大学を推進した人々からまともな反省の弁を聞いたことがない。導入時点では、財界人たちからは、大学の教員というのはビジネスを知らない、マーケットの仕組みが分かっていない、組織マネジメントができていない、だから駄目なんだということがうるさく言われた。生き馬の目を抜くマーケットで成功している本物のビジネスマンが大学を経営すれば大成功するに決まっているという触れ込みであった。だが、蓋を開けてみたらほとんどが失敗だった。にもかかわらず、なぜ失敗したのかについて真剣な反省の弁を聞いたことがない。誰の口からも。

もし大学人に足りないのはビジネスマインドだというのが本当なら、この「ビジネスマン」たちは大学人以上にビジネスマインドに致命的な欠陥を抱えていたということになる。

これらの出来事はすべて同一の文脈の中で生起したことである。これらの出来事に伏流しているのは「マーケットは間違えない」という信憑である。学校教育の良否を判定するのは市場であると考えたビジネスマンたちは、消費者が喜びそうな教育商品・教育サービスを展開すれば、必ず学生たちは集まってくると考えた。

株式会社立大学はいろいろな手で志願者を集めたが、それは商品を売る場合と同じ考え方に基づくものだった。駅前で足の便がいいとか、スクーリングがなくてオンラインの授業を聴くだけで登校しなくても学位が取れるとか。でも、消費者を引き付けようとするなら、最終的に一番魅力的な訴えは「うちは勉強しなくても学位が取れます」ということになる。そうならざるを得ない。市場モデルを適用すれば、学習努力が貨幣、単位や学位が商品とみなされる。最も安価で商品を提供してくれるのがよい企業だという図式をそのまま学校教育に適用すれば、学習努力がゼロで学位が取れる学校が一番いい学校だということになる。

実際に、株式会社立大学の経営者たちはそうした。専任教員を雇わず、ビデオを流してコストカットに励み、学生たちには「最低の学習努力で卒業できます」と宣伝した。学位工場に限りなく近いかたちの大学を日本にも創り出そうとした。幸いにもその企ては成功しなかった。

でも、その失敗の経験から、株式会社立大学の導入を進めた人々は一体何を学んだのだろうか。たぶん何も学んでいないと思う。それは、今も「大学では実学を教えろ」とか「実務経験者を教授にしろ」と言い立てている人があとからあとから湧いて出てくることからも知れる。彼らの記憶の中では株式会社立大学のことはたぶん「なかったこと」になっているのだろう。

その後に登場してきたのが「グローバル教育」である。これも表向きは経済のグローバル化に対応して云々ということになっているが、実態は大学の格付けのためのものだったと私は思っている。「グローバル化度」という数値によって全大学を格付けすることにしたのだ。これは賢い方法であった。「グローバル化度」は簡単に数値的に表示できるからだ。受け入れ留学生数、派遣留学生数、海外提携校数、英語で行っている授業のコマ数、外国人教員数、ＴＯＥＩＣのスコア……これらは全部数値である。これらの数値のそれぞれにしかるべき指数を乗じると、その大学の「グローバル化度」がはじき出される。電卓一つあればその大学の「グローバル化度」は計算できる。

しかし、留学生の数とか、海外提携校の数とか、外国人教員数とか、英語での授業の数は大学の研究教育の質とは実際には何の関係もない。日本語での授業でさえ十分に理解していない学生に向かって英語で授業を行うことによって彼らの学力が向上するという見通しに私はまったく同意できない。

今は多くの大学で「一年間の海外留学を義務づける」ということが「グローバル化度」ポイントを上げるために導入されている。学生からは授業料を徴収しておいて、授業は海外の大学に丸投げして、先方が請求してくる授業料との「さや」を取る。何もしないで金が入ってくるのだから、大学としては笑いが止まらない。25%の学生が不在なのだから、光熱費もトイレットペーパーの消費量も校舎の傷みもそれだけ抑制される。教職員も25%削減できる。いいことづくめである。だから、そのうち「いっそ2年間海外留学必須にしたらどうか」と言い出す知恵者が出てくるだろう。そうすれば、さらにコストカットが進んで利益が出る。すると誰かさらに知恵のある者が「いっそ4年間海外留学必須にしたらどうか」と言い出すかもしれない。そうしたら校舎も要らないし、教職員も要らない。管理コストはゼロになる。でも、その時は大学ももう要らなくなる。海外留学に「丸投げ」

している大学は、自分たちがそのようにして足元を掘り崩すようなリスクを冒しているということについて、もう少し警戒心を抱いた方がいいと思う。

不条理なことに耐性ができてしまえば学者ではない

シラバスというのも、そのような学校教育への市場原理の侵入の一つの徴候だった。それまでも授業便覧・学修便覧というものは存在していたが、シラバスはそれとは性格が違うものだった。シラバスは工業製品につける「仕様書」だからである。含有物質は何か、どういう規格に従って製造されたのか、どういう効用があるのか、そういう情報を消費者に開示するためのものだ。ある意味では契約書である。「こういう授業をいついつにする」と教師は約束する。学生はそれが履行されることを教師に要求できる。予定通りに授業をしなかった場合、所期の学習効果が得られなかった場合、学生は教師に対して「契約不履行」でクレームをつけて、謝罪なり補講なりを請求できる。そういう趣旨のものである。

でも、大学の授業は工業製品ではない。本来は生身の教師が生身の学生たちの前に立った時にその場で一回的に生成するものだ。そこで教師が語る言葉にはそれまで生きてきて学んだこと、経験したこと、感じたことが含まれている。それが何の役に立つのか、そんなことは教師にだって予見不能だ。どうしてこの科目を履修することになったのかは学生にだってわからない。学んだことの意味がわかるのは、場合によっては何年も、何十年もあとになることさえある。

スティーヴン・ジョブズは大学時代にたまたま「カリグラフィー（書法）」の授業を履修した。どうしてそんな趣味的な授業を自分が聴講したのか当時は理由がよくわからなかった。でも、何年か経ってスティーヴ・ウォズニアックと最初のマッキントッシュを設計した時に、フォントの選択と字間調整機能を標準装備として搭載するというアイディアは大学時代に「美しい文字を書く」授業を受けたことから生まれたことに気がついた。そういうものである。

ある授業がどういう教育効果を一人一人の学生にもたらすことになるのか、それは教師にも学生自身にも予見できない。もちろんシラバスに適当なことを書くことはできる。しかし、シラバスを目を皿のようにして読んで履修科目を選ぶ学生なんて、実際にはいない。このコマが空いているからとか、友だちが受講しているからとか、この先生面白そうだからとか、試験がなくてレポートだけだからとか、そういう理由で履修科目を選んでいる。
私が在職中にとった統計でわかったことは「シラバス通りに授業をしているかどうか」ということと学生の授業満足度の間には統計的に有意な連関がないということだった。それ以外のすべての質問は学生の授業満足度と相関があった。「時間通りに授業を始めるか？」とか「板書が見やすいか？」とか「十分な準備をして授業に臨んでいるか？」といった問いは満足度と相関していた。しかし、全部の質問の中でただ一つだけ何の相関もない質問があった。それが「シラバス通りに授業をしているか？」であった。学生たちはシラバス通りに授業が行われることに特段の重要性を認めていない。それは教壇での実感でもある。

だから、「シラバスを細かく書け」という文科省からの命令を私は無視した。意味がないのだから。いやしくもこちらは学者である。論理的にものを考えるのが商売である。シラバスを事細かに書くと授業効果が上がるということについて実証的根拠があるなら、それを示してくれればいいだけの話だ。それを示さずに、もっと細かく書けとか英語で書けとか同僚の教員同士でチェックし合えとか言われてもおいそれとは従えない。

私が教務部長の時にうちの大学のシラバスに「精粗がある」という理由で助成金の減額

が告げられた。これは教育行政として自殺行為だと私は思った。シラバスを書かせたかったら「それには教育効果がある」という事実を示せばいい。何の教育効果があるのかを文科省自身が示せない作業を現場に命令して、違反者に処罰を科す。それも「助成金の減額」という「金目の話」に落とし込んできた。私はこれを「教育行政の自殺」だと思った。

文科省は「大学の教員というのは『金を削る』と脅したら、意味がないタスクでも平気でやる生き物だ」という人間観をこの時公然と明らかにした。財務省あたりが言うならわかりもするが、教育行政を担当する省庁が「人間は金で動く」という人間観を公言することに疚《やま》しさを感じなかったとしたら恥ずべきことである。

しかし、深刻なのは、この理不尽に大学人がすでに「なじんでいる」ということだと思う。仮にも学術を研究し、教育している人たちが「理不尽な命令」に対して、「逆らうと金がもらえないから」というような俗な理由で屈服するということはあってはならないと私は思う。無意味なこと、不条理なことに対して耐性ができてしまって、反応しなくなったら、悪いけど学者として終わりである。目の前で明らかに不合理なことが行われているのに、「いや、世の中そんなもんだよ」とスルーできるような人間には科学や知性について語って欲しくない。

多様が無秩序に生起しているところに新たなものは生じる

今、日本中の大学が「グローバル化」と称して英語教育、それも会話に教育資源の相当部分を費やすのは、そうすれば知的生産性が向上するという見込みがあるからではない。知的な生産性という点から言ったら、できるだけ多くの外国語を履修した方がいいに決まっている。国際理解ということを考えたら、あるいはもっと現実的に国際社会で起きていることを理解しようと望むなら、英会話習得に教育資源を集中させるよりは、履修者が中国語やドイツ語やトルコ語やアラビア語などに散らばった方がいいに決まっている。でも、そういう外国語の履修については何のインセンティブも用意されていない。それは、英語の履修目的が異文化理解や異文化とのコミュニケーションのためである以上に、格付けのためのものだからだ。

ＴＯＥＩＣはおそらく大学で教えられているすべての教科の中で最も格付けが客観的で精密なテストである。だからみんながそのスコアを競う。競争相手が多ければ多いほど優劣の精度は高まる。だから、精密な格付けを求めれば求めるほど、若い人たちは同じ領域にひしめくようになる。「誰でもできること」を「きわだってうまくできる」ことの方が「できる人があまりいないこと」を「そこそこできる」ことよりも高く評価される。格付けに基づいて資源分配する競争的な社会は必然的に均質的な社会になる。そうやって日本中の大学は規格化、均質化し、定型化していった。

若い人たちは今でも地方を出て東京に行きたがる。そして、ミュージシャンだったり俳優だったり、カメラマンだったり、デザイナーだったり、とにかく才能のある人が集まっているところに行きたがる。それは精密な査定を求めてそうしているのだ。故郷の街にいて、どれほどまわりから「町で一番才能がある」と言われても、それでは納得できない。もっと広いところで、たくさん競争相手がいるところに出てゆきたい。正確な格付けを求めてそうする。競争相手がたくさんいる領域に突っ込んでいって、低い格付けをされても、それは自分のようなことをしている人間が自分ひとりしかいない環境で、格付けされないでいるよりはまだましなのだ。狭いところで「あなたは余人を以ては代えがたい」と言われることよりも、広いところで「あなたの代えはいくらでもいる」と言われる方を求める。

彼らがそうするのは、アイデンティティーを基礎づけるのは、自分のオリジナリティーではなく、カテゴリー内順位だと信じているからだ。「そんなことをしているのは自分しかいない」という状態は不安で、「みんなやっていることを自分もやっている」方が安心なのである。自分が唯一無二の存在であることよりも、「誰でもできることを他の人よりうまくできる」人間であることが望ましいのである。自分は何者であり、どこにランクされているのか、どれくらいの社会的地位を期待してよく、どれくらいの年収を当てにしてよく、どの程度の配偶者で満足すべきかを知りたいのである。それを知ると、「自分が何ものであるのかがわかった」と思って満足するのである。これは現代日本人が罹患している集団的な病だと思う。

　自分のアイデンティティーを「同一カテゴリー内の順位」で表現しようとする倒錯を看過していては、日本の学校教育に未来はない。多様なできごとが無秩序に生起している場所でのみ、それらのうちで最も「生き延びる」確率の高いものが際立ってくる。「ランダムさのないところに新たなものは生じない」(Without the random, there can be no new thing)。これは『精神と自然』の中のグレゴリー・ベイトソンの言葉である。

精密な格付けをすれば、若い人たちがどんどん知性的・感性的に成熟するというエビデンスがあるというのなら、「お前の順位はこれだから、これだけのリソースで研究しろ」と傾斜配分した結果、大学からイノベーティヴな発見が次々世界に向けて発信されたというエビデンスがあるというのなら、好きなだけ格付けをすればよい。だが、そんなエビデンスはどこにもない。あるのは、大学が評価や査定や格付けにかまけてきた四半世紀の間に、日本の大学の学術的発信力は先進国最低レベルに低下したという事実だけである。

いい加減に目を覚まして欲しい。

（「内田樹の研究室」２０１７年11月3日）

国語教育について

常識を逆撫でし、経験的な知識の外側に連れ出す論理思考

現場の国語の先生たちは今から先どのようにして国語教育を進めていったらいいのか、正直言って分からないのではないかと思う。学習指導要領の改訂があり、これまでとずいぶん違ったかたちで、国語教育を進めなければいけなくなりそうである。

この間、ずいぶんと話題になっていた、「論理国語」と「文学国語」という区分が何を意味しているのかは、私にもよく分からない。ネット上では、かなり批判的なことが書かれていたけれども、「論理国語」の実体が分からないので、コメントしようがなかった。

先日おいでくださった国語の先生から、直接「論理国語」の模試なるものを見せてもらった。かなり話題になったから、ご存じの方も多いと思うが、この模試は、生徒会の議

事録と生徒会の規約を読んで、年度内に生徒総会を開くことは可能かどうかについて答えよという問題だった。一読天を仰いで絶句した。

どうやら、この模試の作問者は論理的な思考力というものを、契約書を読んだり、例規集を読んだり、マニュアルを読んで理解する能力のことだと考えたようである。これはいくら何でも「論理」というものについての理解が浅すぎると思う。

「論理的にものを考える力」を涵養することそれ自体はたいへんけっこうな教育目標である。それについては私には何の異存もない。文章の階層構造を理解したり、断片から全体の文脈を推理する力は複雑な文章を読む上では必要不可欠である。

しかし、この模試が素材にした規約とか契約書というのはまったく「複雑な文章」ではない。できるだけ誤解の余地のないように、一意的に理解されるように書かれたものである。そういう「可能な限り簡単に書かれたテクスト」を読むために、わざわざ「論理国語」というかたちで教育内容を分離して、従来の国語では教えられなかったことを教えるということの意味が私にはわからない。そんなものを私は「論理」とは呼ばない。

「論理国語」の問題を読まされたので、「論理とは何のことか？」を改めて考えた。

「論理的に思考する」というのは、私の理解では、断片的な情報を総合して、一つの仮説を立て、それを検証し、反証事例に出会ったら、それを説明できるより包括的な仮説に書き換える……という漸進的なプロセスのことである。これはカール・ポパーが「科学性」を定義した時の言葉である。

私が最初に「論理的に思考する知性」に出会ったのは、エドガー・アラン・ポウの『黄金虫』によってであった。10歳くらいの時のことだ。主人公が砂浜で拾った羊皮紙の断片をキッド船長の宝物の地図だと仮定して、暗号を解読し、ついに海賊の宝を見つけるという話だ。ポウ自身が暗号の専門家であったせいで、この暗号解読のプロセスは本当にどきどきするものだった。

ポウはオーギュスト・デュパンという名探偵も造形している。彼は『モルグ街の殺人』と『盗まれた手紙』で大活躍するが、これもまた胸躍る読書経験だった。

どちらの物語でも、ふつうに考えたら「ありえない仮説」をデュパンは立てる。しかし、断片的な事実を総合すると、「すべてを説明することができる仮説はこれ一つしかない」という推理が成り立つ。

名探偵の推理が凡庸な警察官の推理と違うのはそこである。警察官の推理がある限界を超えられないのに対して、名探偵はその限界を軽々と超えてしまう。「たしかに論理的にはそういう仮説もあり得るけれど、常識的に考えて、そんなことは、あり得ない」というふうに凡庸な知性はある時点で立ち止まる。そして、論理をそれ以上進めることを止めてしまう。論理が「この方向に進め」と命じているのに、「常識的に考えて、それは無理」という縛りにとらえられて、足を止めてしまう。

名探偵の名探偵たる所以はそこで「足を止めない」ということである。論理がそちらを指すなら、どんな「あり得ない」仮説であっても、とりあえずそれを受け入れて、検証してみる。この大胆さが実は論理性の実体なのだと私は思う。

『黄金虫』の「私」が最終的に海賊キッドの宝を見つけることができたのは、最初に羊皮紙を拾った時に、「これは海賊の宝の地図ではないか」という「あり得ない仮説」を立てたためである。確率的には、散歩していて、海岸で海賊の宝の地図を拾うというようなことはあり得そうもない。でも、「私」は「そういうことも万が一あるかもしれない」というふうに解釈可能性を広げてから目の前のものを観察した。確率的にどれほど低くても、論理的にはあり得るなら、「あり得る」という可能性を捨てない。それが論理的知性というものの本質的な働きの一つではないかと私は思う。

そうやってポウから推理小説に入ったから当然、その後は、コナン・ドイルのシャーロック・ホームズに向かうことになる。シャーロキアンには周知のことだが、ホームズのモデルはコナン・ドイルがエジンバラ大学医学部に在籍していた時に師事した伝説的名医ジョセフ・ベル教授である。教授は診察室に入ってきた患者を観察しただけで、患者の出身地、職業、家族構成、既往症、今回診察に来た理由までを言い当てたそうである。そのベル先生の妙技は『緋色の研究』の冒頭でホームズがルームシェアの相手として紹介されたワトソン医師がアフガニスタンで負傷した軍医であることを一瞥して言い当てる場面で再演されている。

散乱している断片を説明できるストーリーを見つける

10歳から12歳くらいにかけて、私はホームズを耽読したけれど、その時にたぶん「論理的に思考する」とはどういうことかということの基本を刷り込まれたと思う。それは「大胆さ」ということである。

「ある前提から論理的に導かれる帰結」のことを英語では「コロラリー（corollary）」と言う。日本語にはこれに当たる適切な訳語がない。コロラリーはしばしばわれわれの常識を逆撫でし、経験的な知識の外側にわれわれを連れ出す。私が「論理的に思考する」というのは、それがどれほど非常識であろうと、意外なものであろうと、論理がその帰結を導くならば、自分の心理的抵抗を「かっこに入れて」、それをとりあえず検証してみるという非人情な態度のことである。

シャーロック・ホームズの推理がまさにそうである。ホームズとスコットランドヤードの刑事たちは犯罪現場で同じ断片を前にしている。そこにあるすべての事実を説明できる「ストーリー」をホームズはみつけようとする。警察官たちは、そうではない。いくつかの事実については、それらを「見なかったこと」にして、出来合いの「ストーリー」に都合のよい事実だけを事実認定する。ホームズはすべての断片がぴたりと収まる「ストーリー」を探し、警官たちは、まず蓋然性の高い「ストーリー」を考えてから、それに当てはまる断片を拾い上げて、当てはまらない断片は捨てる。

ホームズの論理性と、警官たちの論理性の違いは、そこにあり、そこにしかない。すべての断片を説明しようとすると、探偵はしばしば「あり得ないような、とんでもない仮説」を採用しなければならない。警官たちは、それを恐れる。できるだけ「よくある話」に回収したい。でも、ホームズは「よくある話」に収めることには何の関心もない。すべてを説明できる仮説がどのような法外な物語であっても、それを恐れない。

　途中までは論理的に思考しながら、ある時点でそれ以上の可能性を吟味するのが怖くなって、思考停止すること、それが「非論理的」ということだと私は思う。それが探偵小説に出てくるすべての凡庸な警察官たちに共通する弱点である。あるところまでは、名探偵と一緒に論理的に思考するのだけれど、ある限界に達すると、目を背けて、思考を停止する。「こんなこと、あるはずがない」という自分の日常的な感覚を論理よりも優先させる。論理的にものを考える人間と考えられない人間の違いはここにあると私は思う。

　論理的に思考するというのは幅跳びの助走のようなものだ。ある程度速度が乗ってきて、踏み切り線に来た時に、名探偵はそこで「ジャンプ」する。凡庸な警官たちは、そこで立ち止まる。まさに「ここで跳べ」という線で立ち止まってしまう。論理性とはつきつめていえば、そこで「跳ぶ」か「跳ばない」かの決断の差である。


　長じてから、これは探偵小説に出て来る名探偵たちだけでなく、すべての卓越した知性に共通する特性だということに気づいた。卓越した知性と凡庸な思考の決定的な差は知的能力の量的な違いではない。「跳ぶ」勇気があるかどうか、それだけなのだ。

例えば、ジークムント・フロイトがそうだ。フロイトの『快感原則の彼岸』は間違いなく20世紀で最も読まれ、最も頻繁に引用されたテクストだが、この中でフロイトは徹底的に論理的に思考することを通じて、「反復強迫」と「タナトス（死への欲動）」というわれわれの常識を逆撫でする概念を提起した。

　フロイトの立てた問題は「なぜ人間は不快な経験を反復するのか？」という問いであった。不快な経験は不快であるから、快感原則が支配的な原則なら、私たちは不快な過去の記憶を忘却するはずである。けれども、トラウマ的な経験をした人たちはそれを繰り返し悪夢に見て、悲鳴を上げて起き上がる。なぜ人は不快な経験を反復するのか。その症例研究から始めて、フロイトは「反復すること」への固執は「快・不快」よりも優先するという命題を「論理的」に帰結する。そして、そこから「死への欲動」というまったく「非常識な」仮説を導き出す。観察したすべての症例を説明するためには、人間には死への欲動があると仮説せざるを得ない、と。この時にフロイトは「跳んだ」のである。

　この時、フロイトは「思弁」という言葉を使っている。これから、私が述べることは思弁的である。現実の生活実感の裏づけがない。市民的常識を逆撫ですることかもしれない。けれども、症例研究からの論理的帰結はこれしかない、と。「タナトス」は厳密なコロラリーである、と。

私が『快感原則の彼岸』を読んだ時に、一番震えたのは、結論の「タナトス」という概念そのものの意外性のもたらす衝撃ではなく、フロイトが具体的な症例研究から始まって、「反復強迫」と「死への欲動」に至る時に、ある踏み切り線を「跳び越えた」瞬間である。「すごい」と思った。「勇敢な人だ」と思った。この人は自分の論理性に体を張っていると思った。

カール・マルクスもそうである。『共産党宣言』は歴史上の四つの社会的対立の事例を取り上げて、歴史の動力は階級闘争であるという結論に一気に持ってゆく。四つの個別的な事例から「すべての…は…である」という全称言明を導くのは帰納的推理の仕方としては適切ではないが、「これらすべてを説明できる一般的な法則はこれしかない」というかたちでマルクスが「跳ぶ」時の勇気には懦夫《だふ》をして立たしむ力がある。

マックス・ウェーバーもそうだ。『プロテスタンティズムの倫理と資本主義の精神』の冒頭で、ウェーバーは「これから資本主義の精神とプロテスタンティズムの倫理の関連について話そうと思うが、『資本主義の精神』というのは単なる仮説にすぎない」と断っている。「資本主義の精神」というのは自分の脳内に浮かんだ一つのアイディアに過ぎない。

これまで誰もそんなものがあると言ったことがない。でも、自分はそれを思いついてしまった。何だかしらないけれども、「資本主義の精神」というものがあるのではないかという気がしてきた。もし、そのようなものがあるのだとしたら、それがどのようなかたちを取って現れてくるのか、その具体的な事例をいくつか例示してゆこうと思う、と。そういうふうに話を始める。

　これは名探偵の推理の仕方の本質を裏側から明らかにしているように思う。結論がたった今頭の中にぽっと浮かんだ。どういう根拠でそういうアイディアが浮かんだのか、まだ自分にはわからない、というところから話を始める。逆転しているのだ。どうして自分はこんな結論を思いついたのか、何を見てそう直感したのか、それを逆方向に遡行してゆく。そうすることによって、自分の中にそんなアイディアが浮かんだ根拠となった断片を一つ一つ拾い上げてゆく。それが『資本主義の精神』におけるウェーバーの手法なのだが、これはたしかに名探偵の推理と変わらない。

　さきほど名探偵は「散乱している断片をすべて説明できるストーリーを見つける」と言ったが、ほんとうはちょっと違うのである。実は、名探偵はなぜか最初に「犯人はあいつだ」ということがわかってしまうのである。わかってしまった後に「どうして私はあいつが犯人だと思ったのか」という問いを遡行していって、自分が直感した根拠となった「断片」を網羅的に列挙してゆくのである。

卓越した知性というのはだいたいそういうものなのである。たしかに論文を書く時には、いくつかの実証された事実を前にして、それらをすべて説明できる仮説を立てる、という順序で進むが、実際に脳内に起きているのは「結論が先」なのである。いきなりアイディアが浮かぶ。どうしてその結論に自分は立ち至ったのか、何を見て、私はそう思ったのか……、というふうに時間を遡るのである。

「資本主義の精神」というアイディアがふとウェーバーの頭に浮かぶ。そういうものがあるに違いないという気がする。でも、どうして「そんな気がする」のか、まだわからない。おそらく、何かを見て、そう思ったのだ。さて、私は何を見たのか。これがウェーバーの推理の順序だ。

これはホームズのモデル、ベル先生の場合と同じである。ベル先生は「どういうわけか」患者がどこから来た人間か、職業は何か、家族構成がどうだかわかってしまう。医学生たちが「どうしてわかったんですか?」と質問したら、あるいは何を観てそう推理したのか二、三の断片を示してくれたかもしれない。でも、実際にはベル先生は数秒間のうちに患者が発信している膨大な量の情報を網羅的にスキャンした結果、そういう結論に達していたのである。だから、結論はわかっていたのだが、学生に訊かれるまでは、自分がどうしてそういう結論に達したのかを言うことができなかった。

自分の知力に「跳べ」と言う決断力に欠ける子どもたち

もし国語教育において「論理国語」を別建てにするというのであれば、「論理的に思考するとはどういうことか」ということについて十分な議論は尽くしたのだと思う。だとすれば、今私が書いたくらいのことは委員会の議事録に載っていると思う。

私は別に独創的なことを申し上げているわけではない。人類の知性の歴史において卓越した業績を残した人たちはどのように論理的に思考してきたのかを簡単に紹介してみせただけである。それくらいのことは、誰にでもできるはずである。

もし、生徒会規約と議事録を読んで年度内に生徒総会の開催が可能かどうかを「推理」するというような知性の行使について「論理的」という形容詞を用いるとしたら、はっきり申し上げてそれは誤用である。その程度のことは「推理」とも呼ばないし、その程度の推論のためには「論理的知性」は不要である。先ほどから申し上げているように、論理的知性というのは「跳ぶ」能力のことだからである。

レヴィ＝ストロースは私の見るところ「20世紀で最も頭のいい人」の中の一人だが、レヴィ＝ストロースもまた論理的に助走して、十分な速度に達してから、思い切って「跳ぶ」人であった。

『悲しき熱帯』は彼がブラジルのマト・グロッソのインディオたちの生活を観察したフィールドワークである。レヴィ＝ストロースは彼らを観察しているうちに、文化人類学者である自分自身の思考形式、自分自身の論理形式そのものが実はヨーロッパに固有の「民族誌的偏見」ではないのか、という疑問に取り憑かれる。この世界には、自分たちがしているのとは違う論理形式で思考している人がいるのではないかと思い始める。

インディオたちは、未開人であり、文明人であるヨーロッパ人よりも幼児的な仕方で思考をしているが、いずれ「文明開化」されればヨーロッパ人と同じように思考するようになる……というのが進化論以後の常識であった。レヴィ＝ストロースはそれを退けた。

彼らの理解しがたい様々な制度や習慣は「幼児的」であるのではなく、われわれとはまったく違った独自の体系と論理をそなえてすでに完成された一つの世界理解の方法に基づくものではないのか。彼らの「野生の思考」もまた人間が達成した堂々たる文明史的な到達点の一つであり、それに対して、われわれはそれにふさわしい敬意を示すべきであるのではないか、と。

観察事例を説明できる包括的な仮説を求めているうちに、レヴィ＝ストロースは「自分が現に思考しているプロセスそのものが一個の民族誌的偏見ではないのか」という根源的懐疑にとらえられる。

レヴィ＝ストロースが自分が観察した事例をすべて論理的に説明しようとすると、それが導くコロラリーは「われわれヨーロッパ人が『論理的』だと思っている思考の仕方とは別の仕方でも人間は論理的であり得る」というものだった。おのれの論理性の極限において、おのれの論理性の限界に出会い、そこから翻って、おのれの思考を律している臆断そのものを可視化してゆく。レヴィ＝ストロースはそういうアクロバティックなことをしてみせた。私はこういうふるまいをこそ真の論理性と呼びたいと思う。

フロイトの死の欲動にしても、マルクスの階級闘争にしても、マックス・ウェーバーの資本主義の精神にしても、レヴィ＝ストロースの野生の思考にしても、際立って論理的な人たちは、ある思考の枠組みの中から出発して、論理的な手順をていねいに踏んで、そして、自分たちを規制している思考の見えざる枠組み、自らの思考を律している臆断を可視化してみせた。真の知性の働きはそこにあると私は思う。

私たちは子どもたちに学校教育を通じて何を教えようとしているのか。もし、子どもたちの中で知性が活発に働くことを教えようとしているのだとしたら、子どもたちに教えるべきことは「知性はジャンプする」ということだ。

今の日本の子どもたちに一番欠けているのは知力そのものではなく、知力を駆動する勇気である。自分の知力に「跳べ」と言い切れる決断力が子どもたちには欠けていると思う。でも、それは彼らの責任ではない。誰も子どもたちに向かって「勇気を持ちなさい」と教えないからである。

文科省がこれまで書いた教育についての指示や提言を読んでも、そこに「勇気を持て」という文言は出てこない。逆である。文科省が教員や子どもたちに語って聞かせているのは、いつでも「怯えろ」「怖がれ」ということだ。学力がないと社会的に低く格付けされ、人に侮られ、たいへん不幸な人生を送ることになる。それがいやなら勉強しろというタイプの恫喝の構文で人々は子どもたちの学習を動機づけようとしてきた。人間が恐怖心や不安によって知的なブレークスルーを果たすということは絶対にない。これはきっぱりと断言できる。知性をドライブするのは勇気である。子どもたちに私たちが伝えなければいけない最も大切なメッセージはそれに尽くされると私は思う。

（２０１９年５月18日）

英語の未来

『中央公論』が「英語一強時代、日本語は生き残るか」という特集を組んでいた。読みでのある特集だった。『日本語が亡びるとき』で問題提起をした水村美苗さんのインタビューが最初にあって、重要な指摘をしていた。

一つはイギリスのムスリムの女性学者ふたりが日本を訪れた時に水村さんに言った言葉。

「その時、彼女らが、『日本では英語がまったく通じない。なんて気持ちのいい国なんでしょう』と言うのです。日本においてはみなが日本語で通じ合い、英語で通じ合えることがエリートのサインではない。英語ができる人が威張っており、収入もよく、社会の権力側に立つという構造になっていないと言うのです。パキスタンでも、インドでも、それからブラッドフォードでも、英語が流暢か流暢でないかによって、階層が作り出されている。実際、彼女たちの親は、その英語のアクセントで、たんに言葉が流暢ではないという以上の意味をもって、差別されている。

私は日本にはそういう構造の社会にだけはなってほしくないし、そうなるのを免れた歴史を大事にしてほしいと思うのです。世界を見回せば、インテリが読む言語は英語で、それ以外の人が読むのが現地語だという国がいかに多いことでしょう。」（水村美苗「言語の植民地化に日本ほど無自覚な国はない」、『中央公論』2017年8月号、中央公論新社、28頁）

「私は最近はいよいよ、ごく少数を除けば、日本人は日本語が堪能であればよいのではと考えるようになっています。非西洋圏でここまで機能している言語を国語として持っている国は本当に珍しいのです。エリートも庶民も、全員当然のように日本語で読み書きしているという、この状況を守ること自体が、日本という国の使命なのではないかとすら思います。」（同書、29頁）

前半の引用には私は全面的に賛成である。言語（それも会話時の発音）による階層差別をverbal class distinctionと言う。肌の色でなされる差別と構造的には同じである。口を開けば一瞬でその人が「自分たちの仲間であるかないか」が判定できるというのは、少しもよいことではないと私は思う。『マイ・フェア・レディ』でヒギンズ教授がイライザのコックニー訛りの補正に情熱を傾けるのは「出自にかかわらず、誰でもが美しい英語を話せる社会」を夢見たからである。

言葉による差別というのは、一度始まると止めることができない。植民地というのは宗主国の言語をうまく話すことができる人間と、そうではない人間の間に乗り越え不能の階層差が生じる場所のことである。水村さんはそれを「植民地化」と呼んでいる。

第二の引用については私は少しだけ留保をつけたいと思う。ほんとうに外国語ができる人間は「ごく少数」でいいのかどうかについては確信がないのである。

私自身は「外国語を学ぶ」ことが大好きだからである。私は中学生になって初めて英語と漢文を学んだけれど、この二つの「外国語」に同じくらい強く惹きつけられた。二つの科目の授業を心待ちにしていた。

それは外国語の有用性によってではない。漢文の知識をいくら仕込んでも受験以外にそれを発揮する機会など現実にはほとんどない。英語で会話したことも20代後半まで一度もなかった（私が生まれてはじめて英語で会話をした相手は自由が丘道場に来たイギリスの青年で、彼に合気道の技を説明したのである）。

それでも外国語を学ぶことはつねに私を高揚させた。母語とは違う文法、違う語彙、違う音韻を通じて、母語的現実とは違う世界に触れることができるということが私を興奮させたのである。

そういうことが「好きだ」という子どもは一定の比率でいるはずである。それは決して「ごく少数」ではないという気がする。そして、どの子どもが外国語の習得を好むかを、外国語学習に先立って選別することはたぶんできないと思う。

ただ、ここに私がこれまでほとんど考えたことのない変化が生じてきた。それは自動翻訳の長足の進歩である。これについては特集中の専門家二人の対談が興味深かったので、それを紹介したい。

自動翻訳はいま三世代目に当たる。第一世代は「ルールベース翻訳（RBMT：Rule-Based Machine Translation）」文法をプログラム化してコンピュータで動かす。難点は精度を上げようとすると規則の数がどんどん増えて管理が難しくなること。第二世代が「統計翻訳（SMT：Statistical Machine Translation）」。大量の対訳データを覚えさせて、ある文が何を意味するかを統計的に処理する（例えば「何で来たの？」という文が「交通手段」についての問いなのか、「理由」についての問いなのか、あるいは「帰れよ」という促しなのかを統計的に判断する）。第三世代が「ニューラル翻訳（NMT：Neural Machine Translation）」。対訳データを大量に仕込むのだけれど、学習方法に「深層学習」というアルゴリズムを用いる。

今の機械翻訳はすでにＴＯＥＩＣ６００点くらいのところまできていて、２０２０年には７００点か８００点に達する見込みだそうである。これがスマートフォンに装着されると、日本語をしゃべると英語音声に翻訳されるということができる。『ドラえもん』の「ほんやくコンニャク」みたいなものである。

ニュアンスの難しい翻訳や文学の翻訳は人間の手に頼るしかないが、「平均的なこと、陳腐なことなら機械は得意です。」（隅田英一郎、内田麻理香、「英語を勉強しなくてもいい時代がやってくる?!」、同書、64頁）

学術論文のようにフォーマットが決まっていて、かつ一意的であることが必須の文章の場合は自動翻訳で問題ないそうである。

自動翻訳の専門家である隅田はこう言う。

「翻訳者、通訳者、外交官などは英語を勉強しなきゃいけないと思います。そういう人たちって何％ぐらいでしょうか。一％ぐらい？（……）だとすると、九九％の人は中学校や高校で英語を勉強しなくてもいいじゃないかと思うんです。今や小学校でも英語を勉強

することになっていますが、自動翻訳機で代替できるという意味ではその必要はないのではないか。」（65頁）

もちろん「異文化教育」は必要だけれど、自動翻訳でコミュニケーションのハードルが下がれば異文化との接触機会はむしろ増すかもしれない。何よりも今まで英語に投じていた学習リソースをそれ以外のものに振り向ければ子どもたちの知的なパフォーマンスは高まる可能性もある。英語学習の枠組みそのものが根本的に変わると予測されている時に、なぜか日本の教育行政は「小学校から英語を勉強させる」という、悪くすると10年も経たないうちに無駄になる可能性のある学習プログラム改革を膨大な手間暇をかけて実行しようとしている。同じことは脱原発や電気自動車へのシフトなどの遅れにも見られる。今が世界史的な変化のただ中であるということを無視して、10～20年前の「常識」と「既得権益構造」に居着いている日本の政策決定者たちの脳内にどのような未来が見えているのか、私には理解の外である。

（「内田樹の研究室」２０１７年8月26日）

コロナが学校教育に問いかけたこと

オンライン授業は、自己評価の低さを変えた

感染がまだ収束していない段階で、「ポストコロナ期に社会はどう変わるか」を問うのはいささか前のめりの気もする。でも、そういう未来予測を行うことはたいせつなことだと私は思っている。今の時点で「予兆」として見えて来たもののうちいくつかはのちに現実化し、いくつかはそのまま立ち消えになる。何かは実現し、何かは実現しない。「起きてもよいはずのこと」のうちいくつかは起こらない。なぜ「起きてもよいこと」は起こらなかったのか、それを思量することは私たちの社会の基盤をかたちづくっている「不可視の構造」を手探りするためには有効な作業だと私は思う。

歴史家は「起きたこと」について「それはなぜ起きたか」を説明してくれるが、「起き

てもよかったのに起きなかったこと」については何も教えてくれない。それは歴史家の仕事ではないからよいのだが、私には気になる。

今コロナ感染爆発の渦中にあって、いくつかの社会的変化の予兆が見えている。よい予兆もあるし、悪い予兆もある。ここでそれがどうなるか予測してみたい。だから、私がこれから書く文章はできたらコロナ収束後、あと一年か二年あとに読んだ方が面白いかも知れない。

よい予兆はいくつかの制度が「弱者ベース」で設計され直され始めたということである。きっかけは大学の授業が２０２０年の４月からオンライン化されたことだった。

ほとんどの大学はオンライン授業の経験がなかった。だから、準備はたいへんだったと思う。少なからぬ教員は「大学の授業は対面で行うべきものだ。『師の謦咳《けいがい》に接する』ことなしに教育が成り立つのか」という深い疑念を抱いていた。それでも、なんとか４月から授業が手探りで始まった。最初はサーバーが落ちたり、音声が消えたり、テクニカルな失敗があったが、数週間でそういうトラブルはだいたい収まった。そして二月ほど経ったところで教員たちはある変化に気がついた。それは脱落する学生が少ないということである。

これまでだと5月の連休明けくらいで、授業についていけない、授業に興味がもてないという学生が脱落する。科目によっては履修者の30%が姿を消す。それがオンライン授業では激減した。それについて大学教員たちから興味深い話を聴いた。

これまで大学というのは「学生が主体的に学ぶ場」だとされてきた。事実はどうあれ、建前はそうだった。だから、積極的に学ぶ意志を持たない学生に、教員側が「手を差し伸べる」ということはしなかった。不登校や学業不振の学生をケアするのは「学生相談室」とか「心理相談室」の仕事であって、教員が何十人、何百人いる履修者の出欠を気にすることはなかった。ところがオンラインになると、欠席者に配布物を送ったり、来週までの課題を伝えることができるようになった。「質問があればメールでどうぞ」というメッセージを送ることができるようになった。すると、欠席者が次の週には来るようになった。それで分かったのだが、彼らが授業を聴く意欲を失ったのは、「教員に個体識別されていない」ということが一因だったのである。自分が教室にいてもいなくても、それによって何も変わらない。その存在感の希薄さ、自己評価の低さが彼らの学習意欲を殺《そ》いでいたのである。だから、教員から（オンラインであれ）固有名で名前を呼びかけられたことで、ささやかながら社会的承認を得て、少しだけ救われたのである。その結果、前期が終わった時点で、定期試験を受けたり、課題を提出したりした学生の数は前年度を上回ることになり、平均点も上がったと聞いた。

「子どもたちを承認すること」が学校の最も重要なミッション

オンライン授業がこんなふうに成功するとは思わなかったという驚きの声を聴いて、私はむしろこれまで私たち大学教員がどれほど学生たちに対して「不人情」に接してきたのかを思い知ることになった。たしかに大教室の授業の場合、教員は学生を固有名で認知していないし、よほど積極的な学生でない限り、廊下で教員に声をかけたり、オフィスアワーに研究室のドアを叩いて質問に来るということはしない。だから、ある程度基礎学力があり、授業にそれなりに興味もありながら、いま一つ意欲が足りないという学生はわずかなきっかけで授業に来なくなるのだが、そういう学生を授業に「呼び戻す」ための装置を大学は持っていなかったのである。

大学は「学習強者ベース」で制度設計されていた。「学習強者」は自分の興味に従って科目を選び、研究室を訪ねて質問をし、大学が無償で提供しているさまざまな教育資源を活用できる。もちろん、それが高等教育ということなのだ。だが、自信のなさやわずかな気後れで、「そういうこと」がどうしてもできない「学習弱者」である学生もいる。そして、その方が多数派なのである。私たちは彼らのことを大学のフルメンバーとして遇してはこなかったのである。

学校には「学習弱者」のための学習トラックも必要だ。そのことを感染症に強制されたオンライン授業で多くの大学教員が気づいた。もちろん、これまで通り「学習強者」がアカデミアを最大限に活用できる仕組みは変わらないにしても、「学習弱者」を「呼び戻す」仕組みを標準装備することに多くの大学はこれから取り組むだろう。対面授業ができず、友だちができず、クラブ活動も休止を余儀なくされて、大学教育はこの1年間で大きな痛手を負ったけれど、そこから学んだこともあった。

その一方で高校生は自殺が増えた。そうかもしれないと思う。コロナのせいで、高校生にとっての「楽しいこと」は全部なくなった。修学旅行も文化祭も運動会も部活もなくなった。さらに全国一斉休校の余波で、彼らはその後「詰め込み授業」を強いられている。7限まで授業をしないと学習指導要領の要求を満たせない。生徒たちが授業内容を理解しているかどうかよりも終わらせることの方を優先する。授業が理解できない生徒たちを個別的にケアするだけの余力は疲れ切った教員たちにもない。そうやって落ちこぼれた生徒たちは教室にいる理由を見失う。それが自殺が増えたことの一因ではないかという話を高校の現場の教員から聴いた。厚労省と文科省は高校生の自殺増加の主因を「進路の悩み・学業不振」としているが、それではあまりに説明が足りないのではないか。

　高校と大学で事態が逆転しているように私には見える。学校にとって、学校に通う子どもたちにとって何が一番たいせつなのか。それはそこにいるだけで、社会から認知され、必要とされているということを実感できるという経験ではないのか。自分はこの集団のフルメンバーであるという自尊感情を抱けるということではないのか。コロナ禍の間に大学と高校で起きたことを見て、私が改めて思い知ったのは、学校の最も重要なミッションは「子どもたちを承認すること、受け入れること」であって、自余のことはそれに比べたらはるかに緊急性が低いということである。コロナを奇貨として学校教育についてもう一度根源的に考え直すことを私たちは求められていると思う。

（「内田樹の研究室」２０２１年２月15日『作業療法ジャーナル』５月号）

あとがき

最後までお読みくださって、ありがとうございます。

いかがでした？　「変な話」を長々と読ませてしまってすみませんでした。でも、中には「あ、それについてはけっこう同じ意見」というところが散見されたかと思います。そうだといいんですけれど。

僕は自分と同じ意見の人を一人でも増やすことを目指して本を書いています。ですから、僕から読者のみなさんへのお願いは、この本で読んで、「それについては納得」という部分がありましたら、そのトピックが話題になった機会に遭遇したとき、ぜひ「自分の意見」として周りの方に話して欲しいということです。これが僕からのお願いです。

アイディアというのは、ただ読んだだけではそのまま忘れられ、空中に消えてしまう。自分で口にしたり、書いたりして、実際に出力しないと身につかないんです。どうぞよろしくお願い致します。

最後になりましたが、本書の編集に当たってご尽力くださった編集の山下美樹子さんに感謝いたします。再録したものについては、最初に書く機会を提供してくださった編集者のみなさんにこの場を借りてお礼申し上げます。みなさん、どうもありがとうございました。

内田 樹

2021年8月

著者略歴

内田 樹（うちだ・たつる）

1950年東京都生まれ。凱風館館長、神戸女学院大学名誉教授、昭和大学理事。専門は哲学、武道論、教育論など。主著に『ためらいの倫理学』、『レヴィナスと愛の現象学』、『私家版・ユダヤ文化論』、『日本辺境論』ほか。第6回小林秀雄賞、2010年新書大賞、第3回伊丹十三賞を受賞。近著に『コモンの再生』（文藝春秋）、『日本習合論』（ミシマ社）、『武道論』（河出書房新社）など。

SB新書　562

戦後《せんご》民主主義《みんしゅしゅぎ》に僕《ぼく》から一票《いっぴょう》

2021年 11月15日　初版第1刷発行
2021年 11月24日　初版第2刷発行

著　者　内田《うちだ》 樹《たつる》

発行者　小川 淳

発行所　SBクリエイティブ株式会社
〒106-0032　東京都港区六本木2-4-5
電話：03-5549-1201（営業部）

装　幀　長坂勇司（nagasaka design）

本文デザイン
D T P　谷 敦

編　集　山下美樹子

印刷·製本　大日本印刷株式会社

本書をお読みになったご意見・ご感想を下記URL、
または左記QRコードよりお寄せください。

https://isbn2.sbcr.jp/08699/

落丁本、乱丁本は小社営業部にてお取り替えいたします。定価はカバーに記載されております。本書の内容に関するご質問等は、小社学芸書籍編集部まで必ず書面にてご連絡いただきますようお願いいたします。

ISBN 978-4-8156-0869-9